JEAN GIRAUDOUX
AUX SOURCES DU SENS

ISBN 2-904 272-00-3

Achevé d'imprimer le 9-12-1982 sur les presses de
l'ECHO de THIONVILLE S.A. ZIL du LINKLING 57101 THIONVILLE
pour le compte des Editions d'Austrasie,
2, Faubourg Tarragnoz 25000 BESANÇON
Imprimé en France - Dépôt légal : Décembre 1982

Jean GIRAUDOUX
AUX SOURCES DU SENS

PAR

CHARLES P. MARIE

AVANT-PROPOS

A l'heure du centenaire de sa naissance Giraudoux étonne toujours. Il ne semble pas qu'on ait épuisé le lieu des recherches à son sujet et il nous a paru que c'était dans des domaines où l'on s'engage assez peu volontiers à l'heure actuelle, la métaphysique et l'ésotérisme, qu'il faudrait puiser pour le surcroît nécessaire à une compréhension en profondeur.

Jean Giraudoux aux sources du sens *est fait de trois études portant sur des ouvrages clés, mais chaque ouvrage de Giraudoux est dans son champ propre une aventure nouvelle dans la découverte de l'homme et du cosmos. De l'un à l'autre il n'y a pas que des correspondances, mais parce qu'elles existent il n'y a pas de fin à cet auteur. A ce sujet il faut lire les «Chroniques de Giralducie» réunies chaque année et publiées par Guy Teissier dans les fameux* Cahiers Jean Giraudoux *édités chez Grasset.*

Nous avons pour notre part participé jusqu'ici à deux numéros des Cahiers *pour des études sur* Pleins Pouvoirs *et sur* Electre [1] *cela en marge de l'essentialisme dont à notre sens Giraudoux est l'un des grands représentants au 20ᵉ Siècle. Nous avons retenu pour cette édition des études qui n'ont point encore été publiées séparément. Groupées elles donneront l'idée d'une oasis de cette perception pure dont parlait Bergson et qui est à notre sens un élément vital de la construction giralducienne.*

---

1. *«Giraudoux et l'idée de mesure nationale»*, in Giraudoux et les Pouvoirs, Nº 7, Paris, 1978. *«L'Etre et le paraître dans* Electre», *Nº 10, Paris, 1981.*

Bachelard à qui nous devons beaucoup quant à la formulation d'une saisie critique [2] est lui aussi au centre de ces études, au même titre d'ailleurs que de Saussure ou Lavelle. Non que Giraudoux soit tous ces gens-là, bien sûr, mais il est une parenté qu'il faut savoir, ou vouloir reconnaître. Pour l'élément poétique nous renverrons à deux courtes études portant sur Ondine [3] et que, poète, nous-même, avons publiées dans des revues, n'oubliant pas ce souffle créateur qui devait mener Giraudoux, sinon à l'écologie, du moins à l'urbanisme [4].

Nous devons, pour notre part, beaucoup à Jean Giraudoux sans l'œuvre de qui, jamais nous n'aurions composé cette «Préface à la révolution essentiasliste» [5] qui est elle-même en effort de perception purifiée. Giraudoux nous apparaît moderne, mais beaucoup plus en avant que la Modernité, c'est ce qui fait de lui, avec Proust, l'un des plus grands de notre âge, véritable engagement naturel conscient des compromissions humaines mais que jamais il n'accepte, les décrivant dans un contexte plus large qui est celui de la nature humaine et qu'Albérès dépeint comme cosmique.

On sait l'existence d'une pensée politique chez Giraudoux, nous la pressentons comme dépendante de la métaphysique, ce qui n'est que normal puisqu'elle vit d'une esthétique et qu'elle dépasse tout en la cotoyant un instant la pensée structuraliste dont nous avons dit, en tout cas au sujet de Roland Barthes [6] qu'elle procédait d'elle. De son côté, Jacques Body voit un apport précieux à comparer Sartre et Giraudoux,

---

2. *Voir «Regards sur l'essentiel» et plusieurs des poèmes contenus dans* Poèmes au Nadir *(Préface de Juliette Decreus) Maison Rhodanienne de Poésie, 1981.*

3. *«Giraudoux peintre et poète de la transparence», in* Art et Poésie, *N° 86, Avril 1979. «Jean Giraudoux et le duo d'unité poétique», in* Le Cerf-Volant, *N° 115, 2me tr. 1982.*

4. *Voir «Pleins Pouvoirs et le souffle créateur», in* Cahiers de l'Association Internationale des Etudes Françaises, *Paris, 1982.*

5. *in* La Mésangette *(Préface de Jean Guirec), Editions Saint-Germain-des-Prés, Paris, 1980.*

6. La Réalité humaine chez Jean Giraudoux *(Publié avec le concours de l'université d'Exeter),* La Pensée Universelle, *Paris, 1975. Se trouve actuellement exclusivement chez l'auteur : 78 Chemin de la montagne. 1224 Genève. Suisse).*

*en quête d'un existentialisme. Cette idée nous a séduit un instant. L'analyse que nous donnons ici d'*Elpénor *est concluante et nous renvoyons à l'étude d'une œuvre de Jean Guirec* [7] *qui nous a permis de mieux situer le problème. Eléments d'absolu et d'absurde qui refont surface dans deux chroniques qui sont notre contribution à la* Rétrospective Jean Giraudoux *publiée par la Maison Rhodanienne de Poésie lors du Centenaire* [8].

Suivre Les Gracques, *c'est aborder une pièce qui jamais ne fut terminée et se poser la problématique d'un Giraudoux conscient des origines du monde en même temps que de l'initiation et des religions primitives.* Combat avec l'ange *permettra de* résoudre *d'autres mystères et de cerner Giraudoux aux prises avec les sources mêmes de notre tradition. C'est poser le principe de l'unité, lui-même si cher aux poètes, et qui est la seule question vraiment primordiale en notre époque. On la retrouve tout au long du théâtre giralducien et partout en filigrane dans les romans. C'est aussi, sans doute, la grande donnée politique et l'essence de toute une philosophie. Qu'y a-t-il derrière l'aurore…derrière le silence et saurons-nous nous laisser prendre au charme de Maléna ?*

Jean Giraudoux, c'est peut-être tout simplement notre inconscient qui se révèle à nous.

C.M.

FTAN, le 10.3.82

---

7. «*Marie-Paule de l'*Enchantement de la Nuit *ou la très grande faute des cloches*», *in* Rencontres Artistiques et Littéraire, N° 27-28 1983 .
8. «*Thérèse ou le Mythe d'Igitur*», (*Une analyse du* Film de Béthanie), et «*La Haine d'Electre*», in Rétrospective Jean Giraudoux, *Maison Rhodanienne de Poésie, 1982.*

LE SOURIRE DE TIBERIUS

ou Giraudoux dans sa lumière

Les Gracques, pièce interrompue, en un acte, semblant former un tout qui s'approche de l'unité. Bien qu'il soit question d'autres parties que Giraudoux aurait pu y ajouter pour la compléter, l'édition Grasset de 1958 [1] lui donne la finition d'un ouvrage achevé, au sens où l'histoire du légume unique de *l'Apollon de Bellac* est achevée. Elle a en outre l'avantage de frapper notre conscience comme une image qui proviendrait de notre subconscient et dont l'origine n'aurait point été totalement déterminée. *Les Gracques* illustrent à leur façon ce théorème de la création giralducienne que René Marill Albérès avait pu tirer à propos du mirage de Bessines :

> *«Il y a une sorte d'inconscient chez Giraudoux, mais il s'identifie précisément avec l'accord que l'homme entretient avec l'univers»* [2].

Cette proposition a cela d'éloquent qu'elle place l'acte créateur au niveau d'une archéologie de type Jungien, c'est-à-dire suivant laquelle «l'archétype est métaphysique parce qu'il transcende la conscience» [3].

---

1. Jean Giraudoux, *Les Gracques,* Grasset, 1958. Les chiffres entre parenthèses, précédés par LG, renvoient aux pages de cette œuvre.
2. René Marill Albérès, *Esthétique et Morale chez Jean Giraudoux,* Librairie Nizet, Paris, 1957.
3. C.G. Jung, Introduction à : Esther Harding, *Les Mystères de la Femme,* Petite Bibliothèque Payot 288, Paris, 1976, p. 6.

Dans *Les Gracques,* le phénomène de la transparence est accusé par le sourire qui est le moyen d'assurer la mesure d'un décalage dès que les signes cosmiques ne sont plus seulement interprétés mais qu'on cherche à faire l'exégèse de la situation. Il n'est pas exclu que la pièce illustre un «malaise» fréquent dans certaines républiques et dont l'incongruité blessait la sensibilité épurée de Jean Giraudoux, mais il y a plus dans *Les Gracques* que la simple intention d'exprimer la guerre civile. Il est une authenticité qui est projetée en perception pure dans la conscience des spectateurs. Cette image virtuelle de la réalité de l'Etre semble être perçue dans la pureté de ses profondeurs. Ainsi envisagés, Tibérius et Caïus, seraient des conjurés de la transparence. La distance n'est pas aussi grande qu'il peut paraître à première vue entre la transparence d'Ondine et le sourire de Tibérius. La reconnaissance de la conjuration est bien un jeu à pile ou face et la pièce est finie dès que Caïus se reconnaît dans le sourire de Tibérius. Si la partie des *Gracques* que MM R.M. Albérès et Jean-Pierre Giraudoux[4] ont offerte à la postérité s'ouvre sur une conjuration de type social, elle se termine sur une reconnaissance de type métaphysique. Caïus remet en effet l'assassinat de Tibérius jusqu'à l'instant où il aura la preuve de la «trahison» de son frère et il doit en cela modérer la hâte des conjurés. La reconnaissance (qui est perception pure) s'établit au niveau des significations. Une signification *essentielle* devra se dégager et toute l'action conçue sur les jeux linguistiques mène à élaborer un signifié qui témoignera d'une unité d'intention entre Caïus et Tibérius. Que le sens se retrouve dans des formes...on assistera alors à une mise au point qui permettra au signifié de se transmettre intégralement. On retrouve ainsi la distinction établie par Bachelard entre imagination matérielle et imagination formelle[5] là où le signifiant recouvre parfaitement le signifié qu'il illustre. L'en-soi et le pour-soi s'allient dans un rapport égal à l'unité, le sourire de *Tibérius* agissant comme la projection d'un absolu ou d'un absurde au sens sartrien des termes[6]; témoignage profond d'une imagination de type ouvert, s'il

---

4. Postface, in Jean Giraudoux, *Les Gracques,* Grasset, 1958, pp. 107-109.
5. Gaston Bachelard, *L'Eau et les Rêves,* Librairie Corti, 1942, p. 2.
6. «L'Absolu et l'Absurde», in *La Nausée,* Gallimard, 1938, p. 164.

s'agit chez Giraudoux d'une résurgence de l'inconscient, ou d'un rationalisme appliqué si l'écrivain est réellement conscient de l'axiomatique de son art [7]. Il faudra toute la perspicacité de Caïus et ce qu'Albérès nomme «intuition de Lavinia» [8] pour reconnaître l'authenticité du signifié qui suit la trajectoire ouverte d'un sourire...Mais à vrai dire elle est rectiligne cette trajectoire [9].

Les Gracques évoquent trois problématiques qui sont au centre des préoccupations critiques de notre temps, l'arbitraire du signe, la perception pure et le couple nature-condition humaines; la première est ouverte par les études saussuriennes, la seconde par Bergson et la troisième débouche comme l'a remarqué Albérès sur une esthétique et une morale.

Le rapport Tibérius/Caïus (et dans cet ordre) reflète un système de valeurs qui n'est autre que celui des *Mots et des Choses,* à cette exception près que chez Giraudoux il n'est pas question d'interpréter un savoir mais de reconnaître une vérité et les théories de l'essentialiste Teilhard de Chardin, plus que celles de Michel Foucault, permettront de saisir Giraudoux: «La seule erreur de l'homme.... est de confondre *individualité* et *personnalité*» [10]. L'individualité donne de la profondeur à la ligne des signifiants alors que la personnalité résidant au niveau des signifiés disparaît derrière un rideau d'indétermination et d'obscurité. C'est ainsi que les conjurés attribuent une identité à Tibérius, héros de Rome «la fiente» (LG 14), mais ce n'est qu'au retour de celui-ci que s'engage l'exégèse et que Caïus accède à la *valeur* qui fait son frère. Il faut en effet dépasser le paraître pour atteindre l'Etre et la ligne des signifiés vient chronologiquement avant le signifiant; il s'agit de passer

7. Pour l'axiomatique giralducienne voir : Charles P. Marie, «Giraudoux et l'Idée de Mesure Nationale», in *Cahier Jean Giraudoux 7* (Giraudoux et les Pouvoirs), Grasset, 1978, p. 73.
8. Albérès, *Op. cit.,* p. 339.
9. *La géométrie dramaturgique en ligne droite,* in Paul Ginestier, *Anouilh,* Seghers, 1969, p. 70.
10. Teilhard de Chardin, *Le Phénomène humain,* (Points) Le Seuil, 1973, p. 365.

des formes au sens, et pour finir, de découvrir que le sens est là avant les formes [11] . Humainement cette action se traduit par une attente (pour mieux percer l'obscur) qui se manifeste ici du côté de l'Etre par un silence et un sourire. La relation qui lie Tibérius à Caïus n'est pas arbitraire; elle ne découle pas non plus d'une «estimation» de l'aîné par son cadet qui entraînerait une valeur «appréciative» établissant «un prix sujet à variations»[12] ; la valeur constatée est une constante car elle est vérité et le signe que forment à eux deux les Gracques est de type transcendantal:

$$\downarrow \frac{\text{Tibérius}}{\text{Caïus}} = 1,$$

formule suivant laquelle la flèche indique le sens d'une action rectiligne (lire : *signifié sur signifiant*) de l'esprit cherchant. Caïus ressemble beaucoup au chrétien de Jean Calvin qui s'efforce d'être prêt pour recevoir Dieu après l'attente.

Tibérius et Caïus sont liés à une matérialité qu'incarne l'aîné puisque tout dans son attitude lui fait *revendiquer le titre de chef de famille*. En effet, des deux frères «Caïus est le moins fort» (LG 78) il «est le moins beau» (LG 79) et «il est le plus pâle» (LG 81). Caïus est bien une image virtuelle affaiblie de l'Etre (l'image formelle au sens bachelardien). Si son ambition a toujours été d'atteindre aux dimensions de son frère, il a pourtant subsisté entre eux ce que Bergson appelle «zone d'indétermination»[13] et ce que Pierre Emmanuel retient sous le nom d'«obscur»[14] . Il s'agit de cette région qui empêche le signifiant de coïncider exactement avec le signifié et l'image virtuelle P' d'un objet matériel P de se retrouver totalement

11. C'est la reprise d'un thème déjà ébauché dans Charles P. Marie, *La Réalité humaine chez Jean Giraudoux,* La Pensée Universelle, 1975, p. 46 & 96.
12. Michel Foucauld, *Les Mots et les choses,* (NRF) Editions Gallimard, 1966, p. 218.
13. Henri Bergson, *L'Energie Spirituelle,* Alcan, 1919, p. 13.
14. Pierre Emmanuel, *La Révolution parallèle,* Editions du Seuil, Paris, 1975, p. 106.

superposable à sa source quand l'objet P se reflète dans un miroir. Caïus a besoin de la présence de *P* pour mesurer par comparaison à l'étalon toute l'étendue de sa taille...En même temps, la conjuration est gardée par Caïus à un stade passif tant que la reconnaissance de P n'a pas été établie. S'il est une unité d'intention, P' doit être en mesure de percevoir P qui est son centre de gravité et sa donnée première. Tibérius (Signifié) vient chronologiquement avant Caïus (Signifiant). La perception exercée en P' n'est pure qu'en présence d'un Tibérius étalon en qui est contenu son potentiel propre aussi bien que celui de l'image à venir. Caïus a besoin de Tibérius pour prendre l'exacte mesure de ses dimensions. Le pour-soi n'est validé que par rapport à l'en-soi qui lui correspond. La dualité comme le montre le texte de Giraudoux résulte d'une absence que tout l'Acte contribuera à examiner et à combler. La zone d'indétermination disparaissant, la perception de l'un à l'autre sera épurée puis transcendée: il s'agira d'une transparence, sorte de *point Oméga* de la rencontre Caïus-Tibérius. C'est pourtant en Caïus qu'aura lieu la reconnaissance, la perception pure.

S'il s'était agi d'une pièce chrétienne, Caïus aurait été le fameux Simon-Pierre, celui qui reconnut, qui renia et qui fonda. Jusqu'à preuve du contraire, Giraudoux n'était pas chrétien, son Caïus est pourtant la pierre angulaire, l'élément tangible et humain par excellence, celui qui porte en lui-même à la fois une morale et une esthétique. C'est au nom de la morale qu'il s'oppose à la Rome concussionnaire et c'est pour sauver l'esthétique qu'il entre dans la conjuration. Sa perception de l'idéal dépasse celle entretenue par un entourage qui est servilement cléricalisé par Rome ou par la conjuration. En effet, l'esprit risque d'être neutralisé par le mensonge (Rome est bonne) ou par la violence (Rome est détestable). Délaissant les signifiants, Giraudoux se tourne vers l'esprit. Il y a plus dans les deux frères que ce qu'y reconnaît Albérès : «le grand serviteur de l'Etat et le révolutionnaire»[15]. Il est chez eux, à des degrés divers, une authenticité qui les

---

15. Albérès, *Op. cit.*, p. 339.

place dans la zone d'influence de la Nature. C'est en ce sens que l'analyse de cette pièce romaine à caractère esthétique doit être poussée sur le terrain de prédilection de Jean Giraudoux : la nature humaine. Grâce à son essence Tibérius adhère à l'universel. La question soulevée par l'ouvrage a trait plus à la nature de l'homme pur qu'à la corruption sociale. Les conjurés veulent sortir le Romain de sa condition d'impureté. Ils sont conjurés contre une Rome avilie. Ce ne sont pas des conjurés sociaux, ou de la lutte des classes, mais des révoltés de l'esprit. Leur engagement n'est pas lié aux conditions matérielles. Leur ambition est d'abord esthétique. Rome devait incarner des valeurs, mais elle a menti, la République n'est plus la République, la Vérité n'est plus la Vérité [16] . Ils commettent cependant une erreur qui consiste à placer un sens dans les signifiants alors que l'esprit est ailleurs. Il est utile de noter qu'une telle confusion a récemment été entretenue par le philosophe Marcuse - qui invoque pour son programme révolutionnaire la « signification concrète » [17] ; dans la filiation de Feuerbach et de Marx non seulement il propose d'éliminer «toutes les positions transcendantes» [18] , mais il affirme que «l'histoire de l'essence humaine se déroule comme simple histoire de la conscience de soi, voire comme l'histoire *dans* la conscience de soi» [19] . Autant dire que l'essence, fait corps avec le signifiant. Par contre si Giraudoux ne néglige pas l'humain, il se refuse à «poser la nature sensorielle de l'homme» [20] comme source première d'«objectivité». Il ne conçoit pas non plus «l'appropriation» des qualités d'absolu d'un en-soi par un pour-soi. En ce sens sa philosophie est «idéaliste», elle dépend d'un idéal qui en a fait le Grand Essentiel de son époque et qui situe l'esprit en dehors du corps, le signifié d'abord à l'extérieur des

---

16. On lira au sujet du jeu des signifiants le chapitre consacré à Ionesco dans Charles P. Marie : «Vers une didactique du rêve. De Bergson à Bachelard. Essai de critique essentialiste» 599 pp. (A4), thèse soumise pour le Diplôme de *Doctor of Philosophy* à l'université de Hull, septembre 1978.
17. Herbert Marcuse, *Philosophie et Révolution;* Denoël/Gonthier, 1969, p. 130.
18. *Ibid.*, p. 130.
19. *Ibid.*, p. 110.
20. *Ibid.*, p. 75.

formes. Cette attitude se manifeste aussi dans l'économie de son langage qui est poussée à l'extrême dans une pièce où comme le remarque Albérès «l'esthète ...avait été amené à mépriser l'humble engagement humain qui rétrécit l'individu, le ferme à l'universel et le crispe sur ses préoccupations et ses manies»[21].

La contemplation de cet engagement l'amenait au découragement, au pessimisme et à l'amertume[22]. Son civisme est «naturel» et de nature transcendantale, Giraudoux est de ces rares individus qui posent comme principe signifiant, nature humaine *sur* condition humaine, et pour qui le *cru* vient chronologiquement avant le *cuit*. C'est en effet par un dépassement de la conscience qu'on peut espérer saisir la totalité de l'objet dans une version cosmique qui pour être reçue par l'homme dépend du principe de la perception pure cher à Bergson. Pour Giraudoux comme pour le prestigieux philosophe il faut que l'homme témoigne la mémoire du monde dans sa pureté originale. C'est à cette fin que s'emploie le sourire de Tibérius.

Les conjurations ne sont pas le fait des héros, même si eux, font parfois une Révolution seuls contre tous, et la préférence des hommes va aux faibles à ceux qui sont aussi bornés qu'eux. Ce thème a été passablement généralisé et encouragé dans la vie quotidienne, souvent même monté en épingle comme principe de société. L'attitude de Giraudoux est plus mitigée, elle dissimule mal un regret :

«CAÏUS : Le monde n'est pas aux forts comme nous l'imaginion enfants avec extase. Il est aux faibles. Il est à ceux qui s'accommodent, qui s'accommodent de la richesse, de la bassesse, de l'obéissance des autres»[23].

---

21. Albérès, *Op. cit.*, p. 296.
22. Voir : *Ibid.*, p. 296.
23. *Les Gracques*, Fragment inédit, Scène V, in Albérès, Op. cit., p. 296.

Les clercs de la conjuration aussi bien que les clercs de Rome répondent à cette description. Seuls les héros, les vaillants, les forts, ne savent pas s'accommoder des idées de masse (encore faut-il que leur perception soit pure). Les faibles, eux, vivent «*dans* la conscience de soi» l'histoire de leur journée, la rationalité bornée des besoins quotidiens, et leurs entreprises. Ils ne sont pas maîtres de l'action, si bien souvent, ils l'exécutent les yeux fermés. Les contre-temps imposés de l'extérieur les touchent d'autant plus qu'ils n'en percoivent pas les motifs dont ils n'ont d'ailleurs cure. C'est là un sentiment qui transparaît dans l'avis du premier conjuré qui aurait voulu que l'on continuât d'exécuter Tibérius à son retour:

> «Tous les mécomptes des purs sont venus de ce qu'ils ont voulu voir l'adversaire face à face (...) On ne combat et on n'aime bien que les yeux bandés» (LG 37).

La conjuration aimerait aller son train, outre les risques qui existent à l'interrompre ou à la retarder. En refusant de laisser abattre Tibérius Gracchus, son frère, général romain, Caïus Gracchus, tribun de Rome, se dissocie des autres conjurés et se refuse à avancer les yeux fermés. Il a suffisamment de mémoire, comme Lavinia son épouse aura assez d'intuition, pour désirer élargir son champ de perception avant de s'abandonner à l'action. Aux yeux du Troisième Conjuré, cet atermoiement passe pour une faiblesse d'orgueil et de sentiment: «Le sujet est intéressant, mais il n'est pas le nôtre» (LG 38). Unis pour défendre la Vertu, des conjurés bornés sont ainsi prêts à détruire au jugé tout ce qui porte les couleurs de Rome, quitte à commettre une grave injustice: c'est là vertu de clerc que de répondre à la tentation du formalisme.

Pour le héros, la pureté de la perception se manifeste au niveau du signifiant, comme si par un tremblement le signe linguistique (ou tout autre signe) se mettait à vibrer dans l'indication qu'il était «chargé»

---

24. Marcuse, *Op. cit.*, p. 25.

et qu'il signifiait. Le signe, d'inerte et d'anonyme qu'il était, comme s'il avait été jusque là désaffecté, devient porteur. On sait que chez Giraudoux «le signe est une parole non-équivoque de la nature entière, une mesure de la résonnance que l'univers donne à nos actes et un jugement qu'il porte sur eux»[25]. Burrhius, l'oncle des deux jeunes Gracques, passe auprès des conjurés pour être étranger à leur cause. Mais que Giraudoux choisisse de lui faire remarquer l'état actif des arbres et des collines (LG 41) est une brève indication au spectateur en quête de perception pure que les conjurés ne sont pas tout-à-fait dans la vérité en ce qui a trait à la nature de Tibérius. Encore faudrait-il dresser l'étude de cette symbolique et remonter aux profondeurs de l'inconscient giralducien pour y chercher la clé de sa participation au cosmos et partant la signification de ce que ses critiques ont ressenti comme étant une perception exacerbée. Quelle est la signification de cette «buée d'or autour des collines» (LG 42)? L'argent de la perception lunaire serait-il pour finir absorbé dans l'or solaire et faudrait-il voir là les augures du passage d'une perception relative à une perception pure?.. de la rencontre de la Déesse Lune avec le Soleil par exemple? S'agit-il d'une simple allusion colorée à la mythologie, ou bien faut-il remonter aux cultes ésotériques et chercher à comprendre la trame sensible de l'auteur dans le contexte des Religions du Monde et de leurs Archétypes? Il est significatif que quand Caius a combattu Carthage, la nature (c'est-à-dire la vérité) lui faisait des signes dont il était conscient (palmier, mirage, croissant de lune, eau, etc...) et qu'il pouvait déchiffrer (LG 26-27). Pourtant ici l'indice «naturel» n'est pas perçu par lui. C'est d'ailleurs Lavinia qui répond à l'Oncle et non Caius:

> «BURRHIUS : Il y a une petite buée d'argent autour des peupliers.
> Tu ne l'as pas vue ?
> LAVINIA : Non. Nous sommes mal avec les arbres en ce moment»
> (LG 41).

---

25. Albérès, *Op. cit.*, p. 228.

Le *nous* de La femme peut paraître équivoque. Sous-entend-elle la vision du couple où déchiffre-t-elle l'état de perception de son époux, lui qui est en désaccord aussi avec les collines (LG 42)? S'agit-il d'une expression de la *Gesamptperson,* de cette systématisation de l'opinion de groupe qui accapare généralement les droits du *je* et du *tu* et qui empêche le développement maximun de l'Etre : «Le Héros, par définition, est toujours seul». Le *nous* exprime des limites à la perception[26]. Les arbres et les collines sont toujours là, mais comme des objets morts à ceux qui ne savent plus communiquer avec leur sens. La perception de Caïus n'est supérieure à celle des conjurés que quand il est disposé à s'arrêter de vivre pour consulter des signes qui sont plus que des augures puisque les héros giralduciens se situent immédiatement après la chute, donc chronologiquement avant les grands prêtres. Puis vient la conscience populaire dont la mémoire se satisfait de symboles qui pour elle ont perdu leur sens réel. Gageons que les clercs, les littérateurs et les intellectuels privés du *yin* sont chronologiquement moins attardés encore, leur rationalisme les empêchant de voir.

Il semble qu'un appel à Bergson et à Bachelard permette de mener plus loin cette analyse. Il est une certaine liberté dans la durée que l'existentialisme sartrien a quelque peu escamotée. Ce qui fait que nous prenons, ce que la tradition appelait libre arbitre, pour la liberté, alors qu'appartenant à la durée «l'évolution devient tout autre chose que la réalisation d'un programme»[27]. Pour Bergson c'est en effet «le réel qui se fait possible, et non pas le possible qui devient réel»[28]. Dans le cas qui nous intéresse Tibérius *signifie* et c'est lui qui imposera *sa* signification. Celle-ci appartient à la durée. Caïus devra se défaire de la zone d'indétermination qui l'entoure, mais ce n'est pas lui qui est maître des possibles. Il ne peut pas poser une «préexistence idéale du possible

26. Denis de Rougement, *Penser avec les Mains,* (Idées) Gallimard, 1972, pp. 237-38.
27. Henri Bergson, *La Pensée et le Mouvant,* Alcan, 1934, p. 115.
28. *Ibid.,* p. 115.

au réel»[29]. Au sens sartrien du terme, c'est l'absurde (à savoir le réel au sens bergsonien) qui s'impose parce qu'il *est* et qu'il vit dans la durée. Il s'agit alors comme nous l'avons vu de perception pure ou partielle, la liberté étant du domaine pur et le libre arbitre du limité. Essence vient donc bien chronologiquement avant existence. Chez Bergson l'existence est en fait d'abord du domaine de l'essence qui la contient avant de la faire naître. D'où la nécessité du *chiffre un*, rapport entre signifié *sur* signifiant.

Pour Bergson, au principe de la perception pure était attaché celui de la mémoire pure. L'opinion de Bachelard diffère en ce qui concerne la mémoire. Pour lui, «le passé remémoré n'est pas simplement un passé de perception»[30]. Il faudrait faire une part à l'âme et une autre à l'esprit. Le critique cherche à retenir ces deux notions dans un état de rêverie qui permettrait d'unir imagination et mémoire. Il serait lui aussi en opposition à Michel Foucault en ce sens qu'à n'importe quel moment de l'histoire du monde, «Pour aller jusqu'aux archives de la mémoire, il faut au-delà des faits retrouver les valeurs»[31]. Grâce à la rêverie, mémoire et imagination permettraient dans leur action conjuguée un rapport d'intimité qui affermirait la perception. Principe masculin, la mémoire est un *animus* (le Logos). Les valeurs psychologiques de l'intimité dépendent de l'*anima*. Au niveau de la poésie, le *yang* et le *yin* uniraient leurs efforts dans une quête de vérité. Il en va en pratique comme si l'action du couple devait aboutir par élargissement dans la durée à l'expression d'un moment de reconnaissance pure. La tradition veut que ce soit le poète qui l'atteigne et non pas le littérateur engagé. Giraudoux est prisonnier à la fois de la tradition et de la réalité. Il organise l'axiomatique autant qu'il la laisse naître et l'illusion est quasi-parfaite. Chez lui il est probablement un équilibre de composition entre *anima* et *animus,* étant bien entendu que pour tout

29. *Ibid.*, p. 115.
30. Gaston Bachelard, *La Poétique de la Rêverie*, P.U.F., 1971, p. 89.
31. Michel Foucault, *Op. cit.*, p. 89.

poète, conscient ou non de son art, le principe féminin s'affirme avant le *Yang*.

De toute évidence c'est le *yin* que Tibérius a cultivé durant les trois années passées à Numance et qui a permis sa maturation: «J'attendais de savoir, de comprendre, d'être pour parler» (LG 21). Il faut en effet rêver les choses pour les circonscrire, message déjà apporté par Barrès et repris plus tard par Bachelard. Il est tout un intangible qui s'ajoute à l'acquisition des faits et qui est un véritable principe spirituel:

> «*TIBERIUS :* Le jour où mon âme sera pleine, me disais-je, ce qu'on appelle l'âme, c'est-à-dire où mes yeux seront pleins, mon cerveau habité par les beautés du monde, sans exception, où j'aurai touché la vérité, je parlerai. Ce jour-là, pas avant» (LG 71).

Le mouvement rectiligne de cette progression semble accumuler un maximun de données esthétiques. Ces données pures se rassemblent suivant la liberté bergsonienne, mais aussi suivant l'imagination ouverte et l'*anima* bachelardiennes; elles cumulent dans un principe de vérité. Celui-ci étant atteint, Tibérius pourra «se déclarer». Toutefois cette déclaration devrait être triomphante, et, tout au long du chemin qui le ramène à Rome, le héros est sur le point d'éclater, de faire un don absolu et gratuit du maximun de pureté dont il est dépositaire aux «amandiers en fleurs», à «la vieille femme à la chèvre», aux «filles noires... de cyprès» (LG 74). Ceux-ci étant déjà des images virtuelles pures appartenant au «naturel» cosmique n'ont pas besoin du message de vérité que porte Tibérius. La demi-allusion biblique «donner ma vie à chaque rencontre» (LG 74) est explicite. La mission de Tibérius est de transcender. Qui? Les conjurés. Comment? En apportant au frère qui attend (Caïus) le complément de luminosité nécessaire à sa virtualité pour passer d'une image partielle à une image complète de la vérité. Ce «miracle» n'est accompli que par la présence de Lavinia dont le principe féminin est attaché au couple Signifié (Lavinia) - Signifiant (Caïus) dans ce qu'il représente au niveau du Signifiant (*animus* de

Caïus plus *anima* de Caïus dans ce qui le lie à l'*anima* de Lavinia); encore faut-il que celle-ci soit claire. Tibérius prend d'ailleurs des précautions infinies pour préparer Lavinia à cette reconnaissance. Il ne s'agit en aucune manière de signes *tangibles* (de Logos), mais de suggérer une transparence:

> «*TIBERIUS*...J'ai beaucoup pensé à Lavinia. La femme de mon frère, c'est la douceur, c'est la clarté de mon frère. J'ai souvent rêvé d'elle» (LG 72).

Le rêve de Tibérius s'offre à la clarté de Lavinia et comme c'est le cas dans le rêve (ou la rêverie), il est un message qui se concrétise : mais l'image est alors porteuse d'un sens (Signifié avant signifiant). L'*anima* de Lavinia est tendue par l'attention (attente). Elle devient réceptacle potentiel. L'archétype doit ainsi se sur-imposer à la trame sensible du *Yin* de Lavinia, s'y imprimer, grâce à la secousse que donnera le fils aîné au moment opportun :

> «*TIBERIUS* : Je la voyais indomptable et m'obéissant, intrépide, et me craignant, déchaînée, et devant moi, et pour moi, silencieuse, comme elle est» (LG 72).

Il suffira de percer. On retrouve ici ce que Maurice Clavel appelle «viol réalisateur»[32], celui qui crée la révélation, véritable inter-action de l'esprit sur la matière. Tibérius joue alors un rôle analogue à celui du fils de l'homme et l'origine du rêve se situe dans un archétype aussi ancien que le monde. On comprend mieux la violente réaction qui devait élever Giraudoux contre Freud et stigmatiser la psychanalyse[33]. L'analyse jungienne est probablement mieux appropriée à l'exégèse

---

32. Maurice Clavel, *Ce que je crois*, Paris, Grasset, 1975, p. 271.
33. C'est à juste titre que Jacques Body relève dans *La France Sentimentale* un texte qui ne laisse aucun doute sur l'opinion que Giraudoux avait à cette époque du maître de la psychanalyse : «Et merde pour Freud Sigmund. Je le plains infiniment d'avoir mal à la langue. Mais aussi on n'embrasse pas l'impur! Et merde pour la psychiatrie! Et merde pour les hallucinés, et pour toi mirage : trois fois merde! (...), in *Giraudoux et l'Allemagne*, Didier, 1975, p. 355.

giralducienne. Elle voit en effet dans le rêve la manifestation non du *sexe* et de l'envie mais de *principes religieux*. L'esthétique giralducienne se nourrit assurément de pureté, de vérité et réclame de surcroît une liberté «naturelle».

C'est dans l'éclairage de cette révélation qu'on pourra chercher à analyser la signification politique des *Gracques* qui me semble avoir jusqu'ici échappé aux commentateurs de l'œuvre du Grand Mystificateur. Tibérius est sans doute plus grand que Caïus, ce qui le situe dans le rayon provenant de l'objet matériel qui va se projeter dans un miroir (entre cet objet matériel et le miroir). Caïus, lui, est de l'autre côté entre le miroir et l'image virtuelle[34]. Tibérius a toutes les caractéristiques de l'être qui n'est pas coupé de ses arrières; elles ont pour nom pureté, vérité et liberté : c'est un être «parfait, sérieux, innocent» (LG 29). Caïus (alias Lavinia) est lui aussi un héros participant à la transcendance, mais plus humain, plus formaliste, décidé (avec les conjurés) de jouer contre Rome un jeu politique. Etre conjuré, c'est accepter de se salir les mains, même si paradoxalement il s'agit de laver et de purifier la cité par le glaive. A sa manière Caïus est corrompu par l'engagement et conscient de l'être. Il espère découvrir chez son frère les mêmes maux parce que Tibérius aura pris sur lui l'étendard romain. Que ceci soit, que l'un et l'autre appartiennent à des factions politiques, et il leur sera facile de s'entendre pour s'entre-tuer sur quelque finalité partisane, puisqu'ils parleront le même langage :

> *«CAÏUS :*...J'espérais que la vie des camps l'avait gâté, qu'il était concussionnaire, prévaricateur, jouisseur. Alors il nous eût encore compris. Il eût eu un sursaut» (LG 30).

---

34. On retrouvera le développement de cette idée dans : Charles P. Marie, «Les Possédés de Transcendance. Maurice Clavel - Pierre-Henri Simon - Paul Claudel», in *Claudel Studies* Volume III, Number I. University of Dallas, 1976.

Or Tibérius est toujours de l'autre côté du miroir, plus fidèle que jamais à la ligne droite, à sa progression, à son essence: «Il revient seulement plus conscient de sa pureté et de sa perfection» (LG 30). C'est là son *signifié*. En même temps il porte l'uniforme de Rome : c'est là son *signifiant*. Vue du côté humain et virtuel de ce même miroir *la valeur* de Tibérius est *dans* Rome et elle se confond avec la valeur *décalée* de Rome (elle aussi *dans* Rome) perçue par les conjurés. Comme si le seul *signifiant* pouvait *signifier*. Le jeu de la politique se satisfait souvent du quiproquo et c'est ainsi que se dessine le sens de l'histoire (voire la vraisemblance de la dialectique marxiste). Dans un premier temps, Rome *signifie* des idéaux à l'état pur: «La grandeur...la gloire, la vertu, le Sénat, la famille» (LG 10). Dans un second temps il y a un décalage entre le signifié d'origine et son signifiant par un glissement qui introduit un sens nouveau. La *valeur* première s'est émoussée mais porte toujours un nom: *Rome*. L'idéologie attaque alors violemment, non le changement, l'image virtuelle faussée ou l'erreur comme il serait logique, mais la *valeur* qui n'est plus là, en l'affublant de toutes les vilenies, en l'accusant de toutes les trahisons:

> «*La gloire* : c'est ce sur quoi l'on doit cracher, et vomir, quand la salive manque (LG 11).
> *La vertu* : c'est ce qui n'existe pas» (LG 12).

Puis : Rome c'est la pourriture (LG 14).

> ...L'ordre suprême, la fiente éternelle c'est Rome» (LG 14).

C'est ainsi que suivant l'Ancien Testament le peuple d'Israël créa ses veaux d'or pendant que Moïse cherchait le feu des lettres de la loi sur le Mont Sinaï, et les veaux d'or ne sont que les premiers symboles du mythe moderne. Le peuple ayant perdu l'accès de la perception pure crée ses enthousiasmes; de métaphysique qu'il était, le monde devient politique - à moins que l'Inconscient (individuel ou collectif) ne presse pour un retour aux *valeurs* qui pour certains n'ont pas cessé de briller et continuent de se projeter dans la liberté de leur futur. Mais la mémoire de ces gens là est bien entraînée : *c'est celle d'une élite.*

Quand Valéry écrit: «O mythe! Mythe est le nom de tout ce qui n'existe et ne subsiste qu'ayant la parole pour cause»[35], il pense aux développements et pas assez au point de départ du mythe. C'est le chiffre *un* le point de départ, le signe linguistique transcendé, l'algorithme Lacanien[36], c'est-à-dire démarxisé, avec la *valeur* qui vient chronologiquement avant une forme qui coïncide. Là où Lacan écrit «Signifiant *sur* signifié»[37], j'ai suggéré Signifié *sur* (et chronologiquement avant) *signifiant*. Soit:

$$\downarrow \frac{S}{s} = 1 \text{ [38]}$$

Cet algorithme est la clef de l'œuvre de Jean Giraudoux. Roland Barthes, lui non plus, n'a pas compris la question. Par ailleurs son *Mythologies*[39] n'eût probablement jamais existé sans l'écriture bourgeoise de *Littérature*[40]. Chez le Grand Essentiel, le sens de l'histoire est un retour à l'*archétype*. Pourquoi? Parce que c'est en lui que réside la valeur première. L'œuvre giralducienne n'a pas d'autre ambition que de le répéter. Il faudrait qu'après un temps de réflexion les sciences humaines acceptassent de renverser la vapeur et qu'elles donnassent à l'homme l'occasion de se signifier. En effet le fameux *Point Oméga* manque toujours au développement diachronique de l'homme. Pourtant il y a le Légume Unique, ce qui laisse à penser que l'essentialisme pourrait bien être l'humanisme tout entier.

Pour les conjurés des *Gracques* la justification (mais c'est aussi un subterfuge) consiste à placer *la valeur* dans le signifiant *Rome*. Leur espoir est de renverser le pouvoir pour le remplacer par un autre

35. Paul Valéry, «Petite Lettre sur les Mythes», in *Variété II*, Gallimard, 1930, p. 220.
36. Notion présentée dans «Giraudoux et l'idée de mesure nationale», *Op. cit.*, p. 72.
37. Jacques Lacan, *Ecrit I*. Le Seuil, 1966, p. 253 (Notre italique).
38. Voir thèse de *Doctor of Philosophy*, p. 504.
39. Roland Barthes, *Mythologies*, Editions du Seuil, 1957.
40. Jean Giraudoux, *Littérature*, Grasset, 1941.

pouvoir: le leur. Et l'on voit se dessiner l'interminable lutte des classes et à intervalles réguliers de nouveaux prolétaires. Pourquoi? Tout simplement parce que, hormis son héros, Giraudoux dessine des protagonistes humains dont il faut envisager l'action dans le cadre du mythe moderne. Le héros essentialiste apparaît alors en marge de l'agitation et en éclaire les limites. Les *Gracques* illustrent assez bien la tendance qu'a Giraudoux à ramener le conflit humain aux normes de l'esthétique et à se dissocier des luttes partisanes quitte à se laisser aller un instant à jouer comme les conjurés avec le *Signifiant*. Son dessein cependant, ne s'identifie pas au leur. C'est là probablement ce qu'eût révélé la suite des *Gracques,* si elle avait atteint la postérité.

C'est voir l'histoire *dans* la conscience de soi que d'affirmer comme le fait Jacques Body que «Giraudoux imagine que les deux camps communient dans un même désir de pureté»[41]. Ce serait en effet «une totale inconscience des réalités»[42] qui mènerait Giraudoux à réconcilier les *deux partis* (Rome et l'anti-Rome) s'il s'agissait de cela. La réponse au problème posé par Giraudoux n'est à ce point ni morale ni économique (bien que pour lui la politique soit une affaire morale avant qu'économique), mais esthétique et probablement religieuse.

Il est un parallèle qu'on ne peut s'empêcher d'établir entre le «je vous ai compris» de Giraudoux aux grévistes de 1936[43] et celui du 4 juin 1958 de Charles De Gaulle à la foule d'Alger[44]. Le sentiment d'insatisfaction d'une partie de la population est tout simplement reconnu. L'homme d'Etat et le stratège prennent note d'une façon qui peut paraître ambiguë. Toutefois quand on rapporte cette affaire au

---

41. Jacques Body, *Giraudoux et l'Allemagne,* Didier, 1975, p. 377.
42. *Ibid.*, p. 377.
43. *Ibid.*, p. 377.
44. «Chef-d'œuvre de manipulation psychologique des masses», estime David Schœnbrun, journaliste américain, in Jean Auburtin, *Charles De Gaulle,* (Les destins politiques), Seghers, 1966, p. 77. On ne peut pas s'empêcher de songer également à cette deuxième leçon du second conjuré «à prendre les merles à la glu», qui a «bien servi» (LG 45) à Tibérius.

schéma de la perception pure, gardant à l'esprit que Tibérius et Caïus se trouvent de part et d'autre du miroir et que la déclaration de Tibérius est un acte de transcendance, il n'y a plus de doute possible. L'objectif de Tibérius est *essentiel:* il agit dans sa liberté selon une vérité et une pureté qui ne sont pas planifiées, allant vers un objectif qu'il porte en lui, mais qu'il ne connaît pas encore.

L'essentialisme[45] ne peut se résoudre à voir le monde donner un esprit aux structures politiques imposées par un principe de classes: fascisme de droite ou fascisme de gauche, «Ordre! Révolution![46]. Rejetant le dualisme antagoniste facile de deux perceptions politisées de la vérité situées au niveau de la virtualité et toutes deux totalement liées à la condition humaine, l'essentialisme propose une alternative transcendantale qui exige un dépassement de l'homme, véritable immanence qui mènerait l'être humain à s'oublier lui-même, à reconnaître en soi un souvenir d'une extériorité plus conséquente, et à ouvrir les yeux (tous les sens) dans l'attente de transparence. L'œuvre de Jean Giraudoux n'a pas d'autre objet que d'apporter ce secret à l'homme de la chute. Ce message, il faut l'admettre est assez bien dissimulé; si bien dissimulé même que Madame Mercier-Campiche a pu appeler son ouvrage *Le Théâtre de Giraudoux et la Condition Humaine*[47] alors qu'il eût été préférable qu'elle s'en fût référée à la nature de l'homme. Pourquoi? Parce qu'il y s'agit de *valeurs étalons* par rapport auxquelles s'évaluent les degrés d'imperfectibilité de la nature humaine. Giraudoux est bien ce «Français qui remplace pour l'humanité l'arbre lampe»[48]. Comme Tibérius il se trouve du côté de la source matérielle, de l'autre côté du miroir de la transparence, et c'est lui qui projette un peu de lumière sur notre condition. Le sourire de

45. On trouvera une analyse essentialiste du gaullisme dans Charles P. Marie, «*Le Spectre et le Balancier*», in *Espoir* (revue de l'institut Charles De Gaulle), N° 14 Plon, mars 1976.
46. Voir l'interprétation ouvrant sur la transcendance, donnée par Alain Duneau «Le Pouvoir d'Electre», in *Cahiers Jean Giraudoux 7*, pp. 47-62.
47. Editions Mondiales, Paris, 1969.
48. Jean Giraudoux, *Suzanne et le Pacifique*, Grasset, 1939, p. 219.

Tibérius est de même tonalité que le «Pourquoi pleurer» du contrôleur des poids et mesures» à Suzanne[49].

Parce qu'il est l'homme, Tibérius a compris la soif d'idéal et de pureté qui anime les conjurés, leur aspiration à la justice, leur ambition de vivre dans un contexte de salubrité morale. Il a reconnu, chez ceux qui étaient malheureux et indignés de voir outrepassés continuellement sous leurs yeux dans Rome les principes de vie qu'on leur avait enseignés, des manifestations d'insatisfaction et de désespoir. Principes, auxquels se refuseront de déroger toute âme douée de réflexion, pour qui *la vertu* est une constante nécessaire et suffisante à la bonne marche de la nation, ainsi que le fondement de toute démocratie, et sans lequel «La République est une dépouille»[50]. Pour Montesquieu, lorsque «les lois ont cessé d'être exécutées, comme cela ne peut venir que de la corruption de la république, l'Etat est déjà perdu»[51]. Tous les népotismes, toutes les corruptions sont alors possibles et le gouvernement populaire «n'est plus que le pouvoir de quelques citoyens et la licence de tous»[52]. *Les Gracques* illustrent bien cette proposition propre aux démocraties d'Occident:

> «*ATTILUS* : La vertu est le seul bien, c'est le moteur de Rome.
> *CAÏUS* : La vertu est ce qui n'existe pas, mon chéri.
> Et le moteur de Rome, c'est le vice» (LG 12).

Le début de la réplique de Caïus est ambigu, car ou bien la vertu est absente dans Rome seulement, ou bien elle est une denrée qui n'existe pas et Caïus ne peut pas être dans la transcendance. C'est en effet dans ces deux temps que va se jouer l'acte que nous connaissons. Troisième possibilité: La vertu est du domaine de l'être (essence), mais elle n'existe pas (existence). L'attitude existentialiste et partisane

---

49. *Ibid.*, p. 219.
50. Montesquieu, *De l'Esprit des Lois* III, 3.
51. *Ibid.*
52. *Ibid.*

de Caïus consacre le manque de vertu dans Rome - manque de vertu qui est pourtant lié à la vertu (d'abord) plutôt qu'à Rome. La vertu est alors possible.

Il existe donc bien le *Conscient* de Caïus et son *Inconscient*. Le Caïus qui parle est sans aucun doute un révolté; le Caïus qui hésite est tourmenté par ce que sa parole n'exprime pas. Il est une parcelle de mémoire pure qui est propre à son for intérieur et qui permettra pour finir une reconnaissance transcendantale. La vertu, dira Tibérius; est la vertu, répondra Caïus. L'*anima* de Lavinia sera le lien :

> «*LAVINIA* : (à Caïus) : Regarde donc! Ce demi-sourire, ce demi-regard, tu as l'autre moitié» (LG 102).

La problématique humaine consiste à rétablir son lien avec l'origine, avec l'original, avec le pur, avec le vrai, avec le libre, avec ce qui *n'est pas engagé,* avec ce qui n'a pas besoin d'être engagé. L'engagement indique en effet une limitation que Giraudoux veut supprimer en offrant aux personnages de ses pièces le témoignage de la transparence. La réplique de Tibérius (témoin de la pureté) va dans ce sens:

> «*TIBERIUS* : Le demi-sourire! Je crois que je l'ai entier à moi tout seul en ce moment» (LG 102).

La *valeur* de ce sourire est tout entière du côté où se situe Tibérius. *Le Signifié* précède son *signifiant,* et en ce qui concerne le frère aîné, le signifié tout entier. Sa mesure, c'est la ligne droite, elle est dogmatique car elle forme *un entier.* La suite de la réplique de Tibérius s'adresse d'ailleurs à ce qui n'est pas entier chez Caïus. Selon toute vraisemblance, le second frère ne comprend pas très bien ce qui se passe, situe mal son frère et ne se voit lui-même que très imparfaitement. Le rapport signifié *sur* signifiant n'est pas égal à l'unité:

> «*TIBERIUS* :...Allons, parle, Caïus. Dis-moi où vous en êtes» (LG 102).

Cette phrase marque un retour à l'ambiguité. Premier sens: Dis-moi où vous en êtes dans votre révolte? Comment votre conjuration s'organise-t-elle? Deuxième sens: Dis-moi l'étendue de votre perception (que je puisse la situer par rapport à la valeur absolue). Au niveau du réel physique Tibérius avait d'ailleurs déjà situé la question en comparant sa taille et celle d'Attilia à celle du couple Caïus-Lavinia :

> «*TIBERIUS* :...Oui, je suis plus grand que toi. Je touche la vérité avant toi. Je suis plus près de la pluie, du beau temps. Si tu n'admets aucune différence entre les hommes, admets du moins celle-là. Vous êtes tous deux plus petits que nous deux. Vous êtes notre ombre, moins un pouce...» (LG 53).

Le jeu du miroir consiste à offrir simultanément au spectateur la perception limitée de Caïus en son côté virtuel et une perception globale avec la source de lumière de l'autre. L'habileté de Giraudoux consiste pourtant à porter très loin l'illusion du *signifiant* puisque le spectateur engagé ressemble beaucoup à Caïus et ne voudra pas admettre ce qu'il distingue mal. S'agit-il vraiment de la vertu de Rome? C'est certainement elle qui est au centre de la motivation politique. Ce n'est plus de la vertu de Rome dont il est question, mais de Rome uniquement. Le jeu Giralducien mène à faire une synthèse des percerptions. Celle-ci nécessite un passage de la condition à la nature humaine: il s'agit de «Losange sacré» (LG 101), non pas tellement au niveau physique de la reconnaissance par signes (qui ne sont que des jalons aux limitations de la perception humaine), mais dans *la qualité* d'un signe retrouvé et qui signifie. Ce fameux losange que perpétue la formule essentialiste

$$\left\downarrow \frac{\textbf{Signifié}}{\textbf{signifiant}} = \textbf{1,}\right.$$

n'est autre que le diamant («*TIBERIUS* : Je pense au diamant» (LG 104). Joyau dont on sait qu'il symbolise le feu des civilisations accomplies, de la Française en particulier, mais aussi de *Rome*. Mettez deux javelots dans le prolongement l'un de l'autre de telle façon que les deux fers de lance empiètent un peu sur le bois qui n'est pas le leur et vous aurez le losange sacré qui est celui de la perception pure de type bergsonien. Soit :

$$P\ldots\ldots\diamondsuit\ldots\ldots P^{53}$$

Toute civilisation humaine considérée comme parfaite se rapproche de la nature dont elle exprime *la qualité.* Il ne peut être rien de corrompu dans une société qui s'en rapporte à des dimensions cosmiques. La révolution de Tibérius n'est pas une révolution prolétarienne: c'est celle de la transcendance. Il s'agit alors d'une véritable *Révolution Essentialiste*[54].

Il n'est pas exclu toutefois que pour les récents gauchistes, *Les Gracques,* et aussi *Electre,* aient été ressentis comme l'exemple d'une intransigeance sacrée; mais c'est bien parce que chez eux comme chez Marcuse, seul le signifiant est perçu comme représentant la totalité du signe linguistique. L'évaluation qu'a donné des valeurs gauchistes Jacques Ellul dans *Les Nouveaux Possédés* devrait permettre de placer le problème en situation et d'attribuer à Giraudoux des ressources de voyance. Pour le maître de Bordeaux qui établit une distance entre la Révélation et la religion des hommes, il suffit que Dieu filtre au travers du *signifiant* dans le sens où Mao est «*la* conscience du monde»[55] pour qu'il ne soit pas indispensable à la religion. Les conjurés des

---

53. Reprenant les concepts de *conscience réelle* et de *conscience possible,* chers à la critique marxiste, et en particulier à Lukacs et à Lucien Goldmann, j'ai pu proposer la notion de *conscience absolue* sur *communication absolue* dans un article portant sur l'enseignement d'une *langue essentielle.* On lira : Charles P. Marie, «La Langue d'Aujourd'hui», in *Audio-Visual Journal,* Vol. 13. N° 3, *AVLJ,* University of Aston in Birmingham, 1975, p. 145.
54. On lira : «Préface à la Révolution Essentialiste», in Charles P. Marie, *La Mésangette* Editions Saint-Germain-des-Prés, 1980.
55. Jacques Ellul, *Les Nouveaux Possédés,* Fayard, 1973, p. 181.

Gracques, comme plus tard les gauchistes, ont créé une sorte religiosité, resacralisant le monde à leur manière comme si la révolution ou la guerre civile devaient résulter de l'immanentisme surgi du fond de leurs convictions. Les jeunes gauchistes, écrit Jacques Ellul,

> «sont les hommes religieux de ce temps. Ils croient absolument. Ils n'écoutent aucune raison. Ils ont des visées supraterrestres (sans le savoir) qu'ils qualifient de politique»[56].

Alors que le moyen de Tibérius est la transcendance, celui de Caïus est l'immanence. Au mieux, déductivisme et inductivisme doivent se rencontrer et le matérialisme n'est plus alors là que pour exprimer le spirituel, le pour-soi s'enfle et s'étend jusqu'à représenter un en-soi. C'est un peu cela le message des *Gracques* dans leur ensemble. L'homme se rebute, n'accepte pas une condition qui résulte de l'impureté de sa perception et il la pousse et il l'écarte et il agrandit sa conscience. Pour Giraudoux, pourtant, la révélation ne vient pas de l'homme. Il faut l'attendre de l'extérieur ou bien c'est l'inconscient qui parle. Tibérius serait ce témoin qui a mûri pour adhérer à l'archétype et représenter un absolu de *valeur* absolue.

Le personnage de Caïus apparaît comme entièrement politique. Ce qu'Ellul appelle EROS, alors que Tibérius est complètement AGAPE, c'est-à-dire principe religieux. (Mère Cornélie le convie d'ailleurs aux agapes:

> «*CORNELIE* : ... Le banquet t'attend, Tibérius, viens» (LG 80).

Ce à quoi Tibérius répond :

> «Je vous rejoins, mère, j'ai encore un mot à dire à Caïus» (LG 80).

Ce «mot» n'est que le fer de lance de la raison (divine) qui doit frapper et conquérir, à moins que comme le suggère une partie de

---

56. *Ibid.*, p. 180.

l'analyse de Jacques Ellul, ce soit Caïus qui l'emporte, que le sacré naisse du politique car c'est lui maintenant qui a la foi dans un autre meilleur et qui détient la vérité[57]. Il s'agit non plus de révélation, mais de révolution. Les conjurés auront «la liberté de *dire la vérité* ...établie et consacrée»[58] par quelque libre arbitre collectif. Jacques Ellul conclut: «Jamais l'Inquisition n'a historiquement prétendu autre chose»[59]. Cette nouvelle forme de religion qui peut animer de son intransigeance la guerre civile, à qui tout doit être sacrifié, ouvre la porte à tous les fascismes...Hitler, Staline, Mao...A moins de partir d'autres prémisses que la politique. D'où l'habileté tactique d'un: «Je vous ai compris» qui se *matérialisera* dans la Révélation (littéralement: passé de l'esprit à la matière en donnant forme à la matière. Ce que Lautréamont appelait: «un pèlerinage indomptable et rectiligne»)[60]. Bref, la modernité forgée par «les clercs» est tout simplement mythique et il faudra la désacraliser, ou encore la démystifier.

C'est bien ce que *Les Gracques* semblent devoir faire. Pour Jacques Ellul en 1975, et probablement pour Giraudoux en 1936, la désacralisation passe par *un message essentiel*. Pour Ellul, «Dieu quand il intervient détruit le sacré de l'homme»[61]. Tout porte à croire que «le mot» de Tibérius à Caïus a cette fonction même[62]. C'est probablement parce qu'il reprendra ce thème dans *Le Film de Béthanie* que Giraudoux renoncera à compléter *Les Gracques*.

Lavinia verra en transparence l'essence du message de Tibérius. C'est-à-dire une vertu, c'est-à-dire une pureté: le jeu esthétique dans sa totalité:

---

57. *Ibid.*, p. 224.
58. *Ibid.*, p. 232.
59. *Ibid.*, p. 232.
60. Cité par Gaston Bachelard in *Lautréamont*, Librairie José Corti, 1939, p. 24.
61. *Les Nouveaux Possédés*, p. 267.
62. Tentative incomprise de son public, Albert Camus écrira *Le Malentendu* (1944, Gallimard 1947) dans un sens analogue à celui des *Gracques*. Là aussi, il faudra songer à la transcendance. On lira une interprétation qui va dans ce sens : Charles P. Marie, «A re-examination of «form and meaning» in Camus «Le Malentendu», in *Nottingham French Studies*, octobre 1978.

«*LAVINIA* : Tu ne vois donc pas ces yeux?
Tu ne vois donc pas ce sourire ?
CAÏUS : Quel sourire ?
LAVINIA : Et ce menton ? Tu ne vois donc pas que c'est lui qu'il a décrit
lorsqu'il décrivait ces têtes de conjurés !» (LG 100).

Lavinia perçoit cette lumière pure et discerne que c'est en Tibérius
qu'est l'objet matériel premier; c'est-à-dire que la conjuration ne saurait
exister sans lui. Cette conjuration est une transcendance qui n'a pas
cessé d'être la *vertu* de Rome. Mieux la Vertu tout court. Il n'est pas
surprenant alors que Caïus ne l'ait pas vue :

«*LAVINIA* :...Ce à quoi tu reconnais tes amis, tes camarades de complot,
tu ne le vois donc pas sur ton frère» (LG 100) ?

Tout comme la Mara de l'*Annonce,* Caïus a besoin de rationaliser
pour saisir. Il n'est en lui qu'une partie de la conjuration. Image
virtuelle pas toujours pure, sa place est dans la virtualité et c'est là
qu'il faudra l'atteindre. Tibérius proposera de «lutter à bras le corps»
(LG 99) comme ce fut le cas pour l'Ange et Abraham. Caïus, en bon
humaniste réclame une autre arme: «J'ai un questionnaire spécial pour
Tibérius» (LG 103). Caïus doit *rationaliser* pour accéder à une
perception plus complète: la *raison* toute nue (le sourire de Tibérius) ne
suffit pas. Tibérius accepte les armes. C'est là qu'intervient le jeu
favori de Giraudoux: le miroir. Tibérius accepte pour l'occasion de se
projeter dans la pupille de Caïus et d'accommoder pour un temps les
limites de sa perception à celles de son frère. Aux questions de Caïus
il répond par la vision qu'a Caïus d'un signifiant dépourvu de tout son
sens d'origine. Ce faisant, pour lui-même autant que pour le spectateur,
Tibérius demeure l'incarnation de la vertu première... Caïus croira
reconnaître un homme. Il sera en fait la victime de son illusion.

La honte dont il est question est la honte de Caïus et des conjurés,
pas celle de Tibérius qui ne saurait en avoir pour lui-même mais qui la
ressent chez les autres, la honte d'une perception incomplète:

«*CAÏUS* : Quand tu vois un Romain heureux d'être romain, fier d'être Romain ?
TIBERIUS : J'ai honte.
CAÏUS : Quand tu vois sa femme, le front rayonnant, notre mère si tu veux, proclamant que le soleil de Rome est la gloire, que les fils romains sont les seuls joyaux ?
TIBERIUS : Je pense au diamant, et j'ai honte.
CAÏUS : Quand tu vois un jeune général acclamé par la populace, paradant au retour d'Espagne ?
TIBERIUS : J'ai honte d'être de sa famille.
CAÏUS : Si c'est toi ?
TIBERIUS : J'ai honte de moi. Sur le char de triomphe, malgré moi, j'ai le visage d'un conjuré.
CAÏUS : O Tibérius! Tu es mon frère. (LG 103-104).

Ce n'est pas lui-même que Tibérius décrit, mais Caïus dans la peau duquel il est entré. Tibérius revêt ainsi, pour se regarder, le masque dont Caïus a besoin de l'affubler pour le distinguer et le reconnaître. En termes bibliques, le héros se fait homme et prend sur lui les péchés du monde. C'est là où la fraternité giralducienne n'a peut-être pas les dimensions humaines qu'on lui prête quelquefois. La reconnaissance Caïus/Tibérius est à double entente et la *honte* évoquée par Giraudoux est la face humaine du péché. En prenant sur lui la honte des Gracques une autre ère est possible. Le «mot» ayant été donné à Caïus, il sera alors possible à Tibérius de rejoindre (Mère) Cornélie, de se fondre avec le Cosmos et de faire participer chacun, en lui, aux agapes et à la gloire du Fils et de la terre. La mythologie chrétienne est proche, elle aussi, puisque cette résurrection, à laquelle il est possible de prendre part procède de la Révélation. Tibérius en est le moyen, véritable archange de la transcendance et témoin souriant de l'éclat premier. C'est Dieu qui parle par sa bouche dans le seul long monologue de la pièce: «Je parle…et l'univers serait sauvé» (LG 94-97).

Dieu avait fait l'Espagne, la Grèce, l'Afrique, la Bretagne et il «imaginait le monde, avant de l'avoir connu, comme une mosaïque de civilisations et de bonheurs» (LG 94). Il s'était projeté dans le miroir.

Il était une virtualité qui devait être sa virtualité et un pareil au même. Rome ne pouvait qu'être la fidèle réplique d'un objet premier idéal, le prototype, l'archétype du Royaume, reflété parfaitement dans le souvenir de son essence: «Je voyais Rome non pas comme le tyran du monde, mais comme la magnifique égale, la monstrueuse égale, l'opulente égale, de ces nations stériles, pauvres ou minuscules» (LG 95), nations qui, elles aussi, devaient représenter virtuellement et totalement l'objet matériel premier. C'est ainsi que Rome et les autres villes ou empires allaient *signifier* le message de l'Esprit. Toutefois, abandonnés à eux-mêmes, tous les «bonheurs» humains ont périclité. Les ouvertures sur le monde des hommes, les voyages de Tibérius (ange envoyé jusqu'à Numance) ne lui ont «pas laissé d'illusion» (LG 95). L'opacité du miroir a fait qu'il n'y a plus de perception pure. Il existe pourtant encore quelques rares témoins de la *beauté* première incarnée par l'ange, et dont il n'a trouvé que des vestiges ici et là. Ceux-ci sont autant de souvenirs purs de la création première emmagasinés dans la virtualité humaine sous la forme d'une relation parfaite de signifié à signifiant: «une reine qui s'empoisonne par vertu», «un général qui brûle sa famille», et Numance «où des cadavres résistent», ce sont des reflets purs d'une perception non édulcorée, fidèles aux valeurs qu'ils représentent *absolument*. Ces exceptions qui font figure de survivances semblent pourtant à l'aise dans leur essence. La pureté d'Abraham est telle qu'il est prêt à sacrifier son fils pour se situer dans la ligne droite de la transcendance. La mort de l'homme est alors vie. Que ces êtres d'élite disparaissent et avec eux meurt la mémoire du monde. La tentation est alors pour Dieu de détruire: «Que de fois je me suis senti l'ennemi de ma propre patrie, homicide du monde» (LG 96). Il faudrait, déclare en substance Tibérius, fonder une autre Rome, qui témoigne de «leur liberté à tous les hommes» (LG 92). Cette liberté profonde et essentielle dépasserait par «le courage et la grandeur» tous les libres arbitres de l'engagement et ne saurait manquer de témoigner de la pureté d'un moi fondamental, celui que Rome incarnait du temps de la perception pure. L'existence de Tibérius et la réalité du principe esthétique premier devraient permettre cette deuxième incarnation - nouvelle forme virtuelle d'un âge d'or retrouvé.

L'ancienne Rome, morte à la transcendance, continuerait certes de vivre, mais telle une croûte figée ayant perdu toute idée de force psychique interne. Toutes les énergies humaines se rassembleraient alors dans «un second feu romain qui dégagerait l'univers de la première Rome» (LG 97) vivant au rythme de vertus authentiques. Le mot Rome est alors employé au sens de son signifié premier. En cette deuxième image virtuelle, mais cette fois porteuse de pureté, se réaliserait la rédemption de tous et le jugement dernier dans la transcendance. Cette seconde Rome succèderait à la première comme le Paradis à la société des hommes. Rivale de la Rome avilie poindrait à l'horizon une Rome esthétiquement triomphante. Il est pourtant une nécessité de la vie dont la démarche procède de l'usure et que dans ce premier acte des *Gracques,* Giraudoux se refuse à aliéner dans la transcendance:

«Tel est le destin d'un empire : c'est celui du nénuphar roi, il n'y a plus autour de lui qu'une eau impure» (LG 96).

Le remède ne saurait venir des hommes. Ceux-ci ne peuvent que constater que «Rome vit de la pourriture du monde». Les justes doivent s'exiler au pays du soleil pour y créer le principe premier. Il s'agit alors de retrouvailles: celles qui consacrent la clarté d'une civilisation et les aurores du premier moment, cet instant favorable où l'esprit est fait chair, où Caïus pourrait être l'oint du seigneur:

«*TIBERIUS* (à Caïus) Je pensais à toi. Je voyais les Gracques partant pour les Iles du Nord ou l'Asie, fondant l'autre Rome, rivale de la première, Rome groupant les peuples ennemis de Rome, Rome libérant les peuples spoliés par Rome. Deux Romes et l'univers serait sauvé». (LG 97).

Les idéologies qui ont cours à l'heure actuelle peuvent inciter la critique à voir dans *Les Gracques* une simple affaire de guerre civile. Dans leur éclairage la tentation est grande d'attribuer à la nouvelle Rome des valeurs qui naîtraient (pense-t-on nécessairement) de la Révolution. Un fascisme, un marxisme. *Les Gracques* sont porteur d'un principe moral qui va beaucoup plus loin que le couple capitalisme/démocratie populaire, source du grand enlisement dont sont les victimes un trop grand nombre de nos «clercs» contemporains. Il ne semble pas non plus que Giraudoux ait cherché à illustrer la résurgence d'une démocratie libérale. Tout juste peut-on penser, quand il rapporte dans sa lettre du 1er avril 1941 à son fils Jean-Pierre alors à Londres: «Ma pièce sur la guerre civile reparaît à l'horizon»[63], qu'il aurait pu y avoir au niveau du *paraître* une possibilité de deuxième France, là-bas dans l'Union Française, ou encore avec le Général, ce Tibérius de l'esprit d'indépendance qui allait, cinq ans après que le premier acte des *Gracques* ait été composé, rallier à lui tous ceux qui représenteraient la liberté républicaine en même temps que Notre Dame la France. Jacques Body n'ose pas prendre position dans son édition des *Lettres*. Il se contente d'indiquer en note 9 : «*Les Gracques?*». Même si l'Europe démocratique et la France radicale qui semblaient devoir s'effondrer sous les coups du fascisme de l'intérieur ou de l'extérieur, reposaient à l'origine sur le principe démocratique (CF Montesquieu), la problématique des *Gracques* incline vers une solution essentialiste et transcendantale.

Le message de Tibérius semble concorder avec l'attente d'un Jean Calvin pour qui la question économique était sinon secondaire, du moins seconde à l'existence divine. Le Chrétien ne capitalisait pas. Il rendait grâce à Dieu par son travail. Il ne s'agissait pas pour lui de s'approprier ce qui appartenait à l'Eternel. On retrouve souvent dans l'Ancien Testament des références à Mammon, véritable ennemi de Dieu. Que Rome sombre dans la pourriture, l'égoïsme et la cupidité, c'est Mammon qui l'emporte sur Dieu. Que les marxistes engagent leur action de lutte des classes, et c'est toujours Mammon qui domine le monde. La Rome que Giraudoux s'efforce de proclamer est par transparence dans la révélation cosmique (façon laïque d'exprimer les

---

63. *Jean Giraudoux, Lettres,* présentées pas Jacques Body, Klincksieck, 1975, p. 274.

diversités non politisées), par conséquent dans un principe premier qui ne saurait en aucune manière être assimilé au *social,* lui-même d'origine strictement humaine. C'est sans doute là le message de l'inconscient giralducien. Il faudra attendre *Le Film de Béthanie*[64] et *La Folle de Chaillot*[65] pour se convaincre des deux pôles (chrétien et humaniste) de la pensée d'un homme dont l'œuvre entière est une démarche vers plus de pureté, le lent travail qui lui permet dans chaque œuvre, d'apporter un complément de perception, et, de contribuer à mettre à jour ce que nous avons appelé la mémoire du monde. Giraudoux, s'il avait été philosophe aurait sans doute été Bergson, ou Bachelard, peut-être même les deux à la fois. En tant que peintre, il a choisi de prendre un miroir pour palette et c'est ce dont témoigne le sourire de Tibérius. A cela ARRA ne s'est pas trompé, victime idéale de la transcendance, reconnue par Tibérius:

AR|RA

miroir

Tibérius a reconnu Arra et lui a donné par son sourire la force de se tuer. Mais comme je l'ai déjà fait remarquer dans *La Réalité humaine chez Jean Giraudoux* à propos d'un article de Neal Oxenhandler[66] au sujet de *La Guerre de Troie n'aura pas lieu* : «L'homme n'a pas le contrôle de l'action s'il a dans une certaine mesure un regard sur les mots»[67]. Il y a *la bêtise des éléments* : ceux-ci donnent tort à Caïus qui espérait disculper Arra. Mais l'esprit qui anime le conjuré ne peut que le conduire stoïquement au suicide. L'ironie est que suivant la logique rationnelle des hommes, celui qui a

64. Jean Giraudoux, *Le Film de Béthanie*, Gallimard, 1944.
65. Jean Giraudoux, *La Folle de Chaillot* - Ides et Calendes, 1946.
66. «Dialectic and Rhetoric in *La Guerre de Troie n'aura pas lieu*» in *L'Esprit Créateur*, Summer 1969, Vol. IX, N° 2.
67. *La Réalité humaine chez Jean Giraudoux*, p. 134.

été «chargé de défendre le peuple... pas ... de le prendre au sérieux» (LG 61), ne peut rien contre la logique événementielle qui donne raison à la justice de Rome. Caïus notera la bêtise de la situation, mais ne saura qu'appeler «Tibérius!» (LG 64) pour que celui-ci intervienne et sauve. Pourtant il faut savoir rendre à César ce qui est à César et à Dieu ce qui est à Dieu. *Le Consul* est en position de force puisqu'Arra a avoué et il n'y a rien à faire contre la force des choses. Arra doit mourir pour satisfaire la loi de César, mais il croise aussi le regard avec Dieu. Il est alors deux javelots qui sont dans le prolongement l'un de l'autre et dont les fers forment le losange sacré, Tibérius et Arra, Arra et Tibérius. A ce stade de la pièce, il n'est pas dit où se situe le centre de gravité et l'on ne peut constater qu'une transparence:

> «*ARRA* : Ne dis rien, Tibérius. Je me mets à ta place. C'est beau d'être regardé ainsi par ces yeux fixes. Tu es le plus beau spectateur au spectacle que je joue» (LG 64)

Qui est à la place de qui? Est-ce Arra qui renvoie le regard de Tibérius? Est-ce Arra qui est la source du regard divin? Il en va ainsi chez Giraudoux qu'à un moment donné de l'analyse qu'il fait du monde ou d'une situation le miroir du peintre renvoie de part et d'autre une transparence. C'est le moment tragique par excellence. Caïus ne comprendra pas l'allusion, mais Tibérius, toujours silencieux et souriant, oui:

> «*ARRA* : Alors, c'est bien entendu, rien ne servira.
> *CAÏUS* : Que veux-tu dire ? Tu ne vas pas prétendre que tu tiens à la vie maintenant ?
> *ARRA* : Si. Comme au seul bien» (LG 65).

La vie lui est donnée dans la mort. C'est le don de Tibérius qui, comme nous l'apprendrons plus tard, a enfin trouvé à qui porter son offrande. Au sens chrétien du terme, il s'agit d'une vie éternelle, ainsi apportée au premier des martyrs de l'arène. Ce que Caïus n'a pas bien compris, c'est la relation qui existe entre son frère et le «veau..

qu'on sacrifie» (LG 75). Longtemps d'ailleurs Caïus s'entêtera à voir un monstre (LG 69) et pas l'agneau, mais lui aussi regarde du mauvais côté de la lorgnette. *Les Gracques* sont l'histoire d'un malentendu, ou plus exactement d'une mal-perception.

Les rares interventions de Cornélie valent aussi qu'on les cite. Parlant à Tibérius (être cosmique, ou divin) de Caïus (être humain conscient), elle dit: «Du jour où Caïus est venu au monde, un an après toi,» (et il faut noter la valeur cyclique de l'année pleine) «tu as cessé tes cris, tu es devenu muet, et par une nonchalance, une paresse, tu lui as permis de te rattraper en tout, tu ne t'es mis à parler que pour lui répondre, tu ne t'es mis à lutter contre lui que quand il a été ton égal» (LG 78). L'image virtuelle égalisait alors l'objet matériel.

Il s'agit toujours du contact de l'homme avec l'*ange,* mais l'ange nous est présenté comme venant chronologiquement avant l'homme en même temps que porteur d'une mansuétude qui peut frapper, toucher et même excéder, mais qui ne peut être un phénomène arbitraire. Il faut qu'il y ait une lutte d'égal à égal entre l'objet matériel et son image que l'homme sente qu'il aurait pu créer Dieu à son image -. L'un et l'autre agissant selon leur nature. Tibérius fait figure de héros mythique, héritant, ce faisant, non seulement de la mythologie chrétienne, mais de la romaine, de la grecque, d'Ur et de Babylone. S'allient alors le monde inférieur et le monde supérieur, et il est du ressort des dieux de s'offrir, comme l'écrit Esther Harding, chacun «selon sa nature». Parlant de Gilgamesh, ce critique écrit, «sa nature veut qu'elle se donne chaque fois qu'elle aime»[68]. On sait par ailleurs qu'avec l'évolution des mythes, il est une succession éthérée des formes d'amour, de l'amour sexuel à l'amour spirituel:

> «Tammuz, la végétation de la terre, renaissait chaque année comme fils et s'unissait chaque année à elle comme un époux[69].

---

68. Esther Harding, *Op. cit.*, p. 174.
69. *Ibid.*, p. 174.

42

Il est une attention quasi physique qu'Attilus accorde à Lavinia, la femme de son frère, et aussi inacceptable que la chose soit pour nous, il est une relation étroite entre Cornélie et Tibérius qui se satisfait mal des conventions de notre société ou de la romaine. Il est une certaine trinité, et quoi que fasse le héros mythique dont la mission est de vaincre la déesse, comme l'écrit Esther Harding dans son chapitre sur Ishtar, «car, de même que la lune, on ne la possède jamais. Elle est éternellement vierge»[70] ainsi qu'éternel recommencement. Il en va de cette virginité comme de la virginité de Rome et de celle de toutes les héroïnes de l'œuvre giralducienne dans une transparence qui ne doit pas être considérée comme un élément personnel. Il n'est pas d'égoïsme dans la nature. Rome apparaît ainsi comme une putain non pas respectueuse, mais vertueuse. C'est dans sa nature que d'être la Vertu; ceci indépendamment de toutes les inconstances dont elle peut à juste titre être accusée avec raison par les conjurés. Une année se passe et c'est le cycle des saisons puis le mystère de Janus ou peut-être celui de la lune noire. Ishtar descend aux Enfers et nous dit Esther Harding, «elle finissait par vaincre les ténèbres pour ressurgir en tant que nouvelle lune, petite d'abord, mais capable de se créer elle-même»[71]. Le principe même de Tibérius procède d'un phénomène long de trois ans de maturation du côté de Numance. Chemin parcouru en trois étapes par la Déesse Lune avant qu'elle ne ressorte neuve comme une aurore après avoir «touché la vérité»[72]. Serait-il que comme la lune, et suivant ce que l'on enseignait à Babylone, l'*anima* de Tibérius ait été ainsi purifiée et complétée pour qu'il symbolysât «le pouvoir de la vie revenant de chez les morts»[73], et qu'il imposât amour don de soi et transparence?

Le retour triomphant de Tibérius à Rome prendrait alors toute la signification de la fertilité qui manque très certainement si l'on

---

70. *Ibid.*, p. 67.
71. *Ibid.*, p. 177.
72. *Ibid.*, p. 177.
73. *Ibid.*, p. 177.

s'engage dans une lecture simple des *Gracques*. Ne faut-il pas au contraire chercher à percer l'inconscient, «partie cachée de notre propre psyché»[74], cette région privilégiée, ce principe féminin dont Jung dit que «Yin est comme l'image de nacre cachée au plus profond de la maison»[75]?

L'étude psychologique de Caïus mènera certainement à mettre à nu la rébellion de l'être éveillé, conscient et rationnel. Mais le message de Giraudoux n'a-t-il pas trait à beaucoup plus qu'une condition humaine? Ne porte-t-il pas sur toute la nature de l'homme, conscient et inconscient? Alors Tibérius, être tri-dimensionnel se montrant dans l'éclat de la Révélation, assume la somme de toutes les mythologies et la chrétienne en surcroît, celle-là même qui est la plus proche du spectateur, et, probablement la dernière en date a avoir été refoulée dans son inconscient d'homme moderne: mais n'est-ce pas aussi celui du peintre à la palette de verre?

Ainsi remonté des enfers, il est dans la nature des choses que Tibérius veuille se donner à qui aurait voulu de lui dans un élan d'amour que nos contemporains comprendront mal, mais qui ressort autant des catégories temporelles de la «ceinture d'Ishtar», c'est-à-dire les douzes lunes de l'année scolaire des anciens, que du sacrifice de Christ sur la croix:

> «Pas une stèle, pas un nuage romain auquel je n'étais tenté de suspendre ma vie, en ex-voto. Pas un tombeau de brigand ou de roi auquel je n'aurais voulu la clouer, palpitante. Voilà pourquoi, quand ce compagnon a donné sa vie, devant moi, je lui ai souri, et il a compris mon sourire» (LG 76).

Arra est donc mort dans la transcendance comme le brigand à Golgotha et le message de Tibérius, ce mystérieux sourire annonce à la

---

74. *Ibid.*, p. 176.
75. Cité in *Ibid.*, p. 75.

fois la puissance magique de l'inconscient «naturel» et le message de la rédemption chrétienne. La reconnaissance finale de *Caïus:* «O Tibérius! Tu es mon frère» (LG 105) doit être renversée au jeu du miroir, car elle est le reflet humain du précepte clef de la *Nouvelle Alliance: Tu aimeras ton prochain comme toi-même*, véritable ouverture sur un archétype plus ancien et dont l'homme avait perdu jusqu'à la trace, loi d'amour lui permettant de participer de cultes remontant aux aurores du monde; celui du soleil dont le *yang* se rapportait aux biens personnels[76], de cultes qui permettent à l'homme de rétablir le contact avec le principe féminin qui est probablement à l'origine de son essence même, véritable résurrection de l'Homme Lune, et participation complète de l'inconscient giralducien *en* le cosmos.

Le mystère de la reconnaissance atteint des dimensions de vérité qui sont une preuve supplémentaire à cette démonstration de la mémoire pure dès qu'il a trait à la réunion de Tibérius et d'Attilia son épouse. Tibérius reconnaît «ces bras blancs, ces regards bleus, ce rose, c'est ma femme» (LG 48). Bien qu'Attilia ait attendu Tibérius «depuis quatre ans, chaque seconde» (LG 49), elle semble attendre encore. C'est ainsi que comme il en va pour les êtres humains et parmi les plus purs, le *yang* prend un certain retard sur le Yin:

«*ATTILIA :* Oui, Mon esprit est en retard sur mes yeux. Pour lui tu es loin» (LG 49).

Mais l'attente a été pure, la perception pourra être parfaite. Attilia s'agenouillera aux pieds de Tibérius (son Dieu?) et à sa demande :

«*ATTILIA :* Si tu es ce que je crois, c'est ma place» (LG 51).

La reconnaissance est consommée, l'unité est accomplie :

$$\left. \frac{\text{Tibérius}}{\text{Attilia}} \right\updownarrow = 1.$$

---

76. *Ibid.*, p. 41.

L'affaire des jambières est un attrape-nigaud du libre arbitre féminin. La plaisanterie «ce soir il délacera tes sandales en rampant» (LG 50), du plus mauvais goût humain (bourgeois?). L'un et l'autre sont des diversions sans conséquence. La vertu de cette Rome-là est intacte. Le bouton derrière l'oreille est guéri (LG 51), les larmes ont séché et Attilia a enseigné avec conscience et amour le cathéchisme romain au dernier des Gracques, le petit Attilius: «Je veux que son cadet comprenne sa grandeur, et la grandeur de Rome» (LG 10). Elle témoigne que la vertu de Rome existe puisqu'elle l'incarne dans les petites choses. Elle est ce que E. M. Forster appelait *flat character*. On connaît à l'avance sa réponse. Mais sa réponse est complète: chaque chose est a sa place et il est une place pour chaque chose. Elle est en réalité un *round character,* autre manifestation de l'être dans un paraître qu'elle signifie tout entier. Cette autre *Violaine* (Le bouton de ta femme est guéri, mais la lèpre est sur Rome) (LG 52) est aussi l'anti-blasphème.

C'est en effet blasphémer que de ne pas vouloir permettre au signifié de signifier et que de donner un autre sens à ce qui *est* en interprétant le signifiant à contre nature. N'est-ce pas là pourtant pratique que la race humaine monte en axiomatique chaque fois qu'elle prend sur elle de justifier sa subjectivité, son pour-soi individuel ou collectif, en l'érigeant en vérité, en absolu et qui sait, même, en liberté? C'est en effet l'attitude des clercs que de vouloir établir un système rationnel qui justifie non ce qui *est* mais ce qui paraît être et qui a pour vertu principale de systématiser l'erreur avec bonne raison pourvu que le suffrage universel ou censitaire justifie la prise de position. Ainsi va le monde que Rome ou l'Anti-Rome suivent les chemins du pour-soi, empressés l'un et l'autre qu'ils sont à rejeter comme absurde, ce qui est en essence et qui pourrait être en pratique, pour le remplacer par un paraître qui sastifait pleinement leurs intérêts et leur absence de mémoire pure.

La révolution proposée par Giraudoux est de nature essentielle et elle ressemble plutôt à une révélation dont les prémisses sont un en-soi qui est un absolu et tout le contraire d'un absurde. Au miroir de la transparence on s'aperçoit alors que la *honte* du monde résulte des œillères que l'homme porte en correctif à ses antennes «naturelles», celle-là-mêmes qui d'un point de vue esthétique ou moral ont fait que petit à petit la «civilisation» a su remplacer l'innocence cosmique par le plus grand malheur de l'homme. A la lumière d'une telle analyse, *Les Gracques,* pièce incomplète en presqu'un acte, apparaîssent comme signifiant dans le plein éclairage de l'inconscient de Giraudoux et des hommes. Cette «guerre civile» ouvre sur un domaine de clair-obscur qui est le lieu de rencontre des diverses perceptions de l'être humain dans leur relation avec une perception pure. Ce faisant, Giraudoux favorise ce qu'on pourrait appeler une résurgence de la mémoire du monde. En accord sans doute avec Gérard Genette qui devait écrire plus tard: «l'homme fabrique un peu trop de signes et ces signes ne sont pas toujours très sains»[77], Giraudoux utilise des signes «naturels» et non pas manufacturés et le sourire de Tibérius est peut-être une paupière ouverte sur la virginité.

BELFAST, le 4 octobre 1978

---

77. Gérard Genette, *Figures I*, (Tel Quel) Le Seuil, 1966, p. 196.

ELPENOR

vers un art politique de la perception

L'être humain vit dans l'indétermination et les ombres auxquelles il s'accroche ne forment pas la totalité de la toile de fond qui tient à lui. Il est une dimension plus complète que Giraudoux s'entend à analyser ou en tous cas à illustrer dans son *Elpénor,* un roman dont on aurait tort de sous-estimer l'importance et qu'un dieu seul a pu inspirer. C'est de ce dieu dont il est question tout au long de l'ouvrage bien qu'il y prenne des formes interchangeables dont certaines sont aisément déchiffrables et d'autres moins. On pourra se demander s'il est un centre de gravité commun à toutes ces formes et si ce n'est pas l'objet même d'*Elpénor* que d'en parler.

Parmi toutes ces formes il est un miroir dont la fonction, unique pour tous les miroirs, est de refléter bêtes et gens, platanes, arbousiers ou pêches et les matelots de l'Odyssée emmenés d'aventure sur le bateau d'Ulysse:

> «Ils n'imaginaient non plus qu'ils pouvaient dans ce miroir se rencontrer eux-mêmes et, comme deux chèvres sur la planche qu'enjambe l'abîme, se heurter du front à leur propre existence» (E. p. 5)[1].

---

1. Jean Giraudoux, *Elpénor,* Emile-Paul, 1919. L'édition Bernard Grasset de 1938 est utilisée ici. La lettre *E* précède dans cette analyse toute référence à la page citée.

Le miroir et l'abîme procèdent d'une symbolique essentialiste. Il faudra enjamber le vide qui permet l'accès à l'existence au-delà même du tanin; que l'homme sortant de son reflet chemine à la recherche de son identité.

Le problème de l'existence est posé: réalité dont la substance nous dépasse et que nous ne voyons. Dans cette optique la personnalité d'Ulysse est ambiguë. Le héros est-il homme ou est-il dieu? Quand est-il l'un, quand est-il l'autre? Est-il l'un et l'autre ou l'autre moins l'un. Qu'est alors cet un? Sans doute le miroir renvoie-t-il des formes: «Certes nous avons vu les trois sirènes, mais il nous reste à voir trois sirènes encore, si différentes, juste les mêmes; et nous envions ceux qui n'ont pas vu les premières» (*E.* p. 6). Il est à la fois un jeu et une quête dans ce dédoublement. Il est une autre île qui si «Aller dans la seconde île était exactement rester dans la première» (*E.* p. 4) pourrait être la réponse à cette essence sans doute divine que l'on espère «qu'un dieu seul peut former en vous» (*E.* p. 4) et dans laquelle pourrait se projeter l'existence profonde de l'Etre que nous recherchons en nous, espérant le trouver à l'extérieur, mais qui n'est peut-être que *désir*. Voila ce qu'offre le miroir, reflet d'une autre ombre semblable à la nôtre, mais aussi un dépassement qui en assurerait la réalité existentielle - à l'opposé même de l'existence existentialiste. L'autre île offre des reflets de nous-mêmes qui sont comme nous-mêmes des reflets de nous-mêmes, à moins que nous-mêmes soyons des reflets d'eux-mêmes *plus un* (qui est irrationnel). Giraudoux sait d'intuition que l'un rationnel est incomplet par définition, qu'il lui manque quelque chose et que toutes les parties mises ensemble ne sauraient faire un tout sans ce *plus un* qui est l'envers du désir, mais que ce désir désire. Voilà le jeu du miroir. Voilà aussi cet *Elpénor* dont l'analyse devrait permettre d'affirmer la position implicite de son auteur par rapport à l'existentialisme sartrien: essentialisme ou existentialisme, cet un par excès ou par défaut. *Un* qui est tout ou qui n'est rien, indicible problématique que Giraudoux s'entend surtout à dessiner alors que les matelots poussent «comme les poètes, de sinistres hurlements» (*E.* p. 5). Mais les poètes, dans cette affaire, sont du même côté du tain du miroir que les matelots: pas Giraudoux.

Passer des signifiants aux signifiés, voilà bien l'objectif de toute mythologie qui se respecte, à moins qu'elle soit *moderne,* en quel cas il s'agirait de passer du signifiant à d'autres signifiés. La question est entière pour Barthes. Elles est tout autant résolue pour Giraudoux, mais pas dans le même sens:

> «- O Zeus, pensait-il (Ulysse), ne m'as-tu pas mené aux limites suprêmes, et cette barre qui joue entrè les deux îles n'est-elle pas le pli qui sépare notre monde des Idées?»(*E.* pp. 7-8).

Voilà bien notre monde grec, les limites d'un monde raisonnable! L'Idée de notre monde n'est-elle pas au delà de ce monde? N'existe-t-il pas une césure entre l'Idée et notre monde? «Cette île n'est-elle pas l'Idée de notre île, l'île que toi-même tu créas...» (*E.* p. 8), assimilation *en* les signifiants du signifié premier, résolution que l'esprit humain voudrait apporter à la problématique qui le chicane depuis le début des temps: l'homme unidimensionnel, l'île à une seule dimension? Sortie de la matière, l'île est créée, comme si elle sortait de l'imagination humaine; «un démiurge a suffi (*E.* p. 8) à cette création, «Allons donc vers l'Ile véritable» (*E.* p. 8). Il faudra alors dépasser les limites de la matière signifiée, hors le pour-soi sartrien, vers un au-delà que le rationnel pressent et veut expliquer. Cet «abîme» (*E.* p. 5), cette «barre» (*E.* p. 8), il faut les traverser, véritable effort d'*interprétation.* Mais peut-être s'agit-il de l'exégèse, le grand effort de l'analyse sémiotique qui n'a que rarement été envisagé dans la période contemporaine. Giraudoux l'entreprend: «..apercevoir, à travers les mots, le royaume des Idées» (*E.* p. 8). Mais que d'efforts pour dépasser la pure matière, celle où s'incruste la forme virtuelle qui répond au nom d'homme. L'indétermination dans laquelle l'homme nage est le lieu de lui-même, de la totalité *moins un,* de sa subjectivité, de son désir, en un mot, du pour-soi sartrien:

> «Là où séjourna leur désir, les mortels vont avec plus de respect que là où habita un dieu» (*E.* p. 9).

La pensée giralducienne exige la présence d'un absolu, cette dimension *plus un* qui manque chez Sartre et qui contrairement à celle dont témoigne l'auteur des *Mouches* est faite chez Giraudoux au modèle de l'en-soi, ce qui avait tellement fâché Sartre quand il l'avait découvert[2]. En réalité, le monde giralducien fait place au pour-soi et à l'en-soi, mais en lui contrairement à ce qu'il est dans le monde sartrien, l'en-soi n'est pas *absurde,* c'est une nécessité. Alors que Sartre construit un monde sur du relatif, Giraudoux l'édifie en connaissance du tout: «Toutes les ombres d'arbres, plus une..» (*E.* p. 1), de là découle la difficulté que ses commentateurs auront toujours à décoder l'œuvre de Giraudoux. Avec chaque nouvelle œuvre sa perception embrasse un nouveau champ (chant?) qui le rapproche de l'absolu, l'*absurde.* Autant que Sartre, Giraudoux se fait l'apologiste du désir, mais il ne peut l'excuser ou fonder une philosophie du pour-soi (de l'échec dira Goldmann[3]) comme le fait Sartre, car toujours il trouve une dimension plus large que ne l'est le relatif sartrien. L'absolu sartrien, si on peut parler d'absolu, est lié au relatif - relatif absolu - d'une subjectivité et d'un désir. Chez Sartre, l'objectivité de l'objet, c'est l'*absurde,* ce que nos contemporains semblent mal voir, empêtrés qu'ils sont dans l'unidimensionnalisme post-kafkaïen - Mais n'est-ce pas là la plus grande gloire de tout matérialisme? -.

Pris entre l'absolu et la dimension unique, «Elpénor est fou, est fou qui veut aller dans l'île!» (*E.* p. 7). Voilà trois dimensions clairement définies, l'unicité dans la matérialité, assimilation des signifiés aux signifiants (voir Marcuse), *conscience réelle* écrira plus tard Goldmann[4], le fou qui s'en éloigne (*conscience possible*) et l'absolu; la *conscience absolue* n'appartient pas à la panoplie critique

2. J.P. Sartre, in *Situation I,* Gallimard, 1947, p. 88.
3. Lucien Goldmamn, *Structures mentales et création culturelle,* Editions Anthropos, 1970, p. 214.
4. Voir l'utilisation de ce concept dans «La langue d'aujourd'hui», article de Charles P. Marie, in *Audio-visual Language Journal,* Vol 13 N° 3, Birmingham, Winter 1975/6, p. 145. Lucien Goldmamn, *La Création culturelle dans la Société moderne,* Gonthier 1971.

de Goldmann, elle procède de la démarche bergsonienne et de son interprétation essentialiste[5]. Il s'agit en l'occurence ici de l'âme d'Ulysse. Trois niveaux donc de culture et la consécration de l'élitisme giralducien! Intéressant aussi cet «Euryloque, qui voyait l'aigle avant que l'aigle ne vît Euryloque et qu'Ulysse dans les brouillards plaçait devant lui comme un verre grossissant...» (*E.* pp. 3-4). En effet, la perception doit précéder la conscience et l'objectif, l'objectivité, trouver son lieu dans la perception pure, le lieu de ladite perception étant nécessairement dans l'objet perçu, fut-il absolu et jamais absurde puisqu'il est (et quoi qu'il soit) perçu. Cette *perception pure* est le motif de la quête.

Mais pour les marins, il ne semble pas en aller ainsi, le sens de l'Histoire ne procède pas à rebours; ils ne savent pas que l'un est premier et unique:

«Certes nous avons pris Troie, mais ne sens-tu pas toi aussi qu'une seconde Troie, intacte, poursuit la vie de la première...(*E.* p. 5).

Ainsi va le mythe humain que de nouvelles formes se créent qui emportent l'homme irréfléchi ou qui perçoit mal vers la *modernité,* les marins, mais pas Giraudoux. L'âme d'Ulysse est en quête d'«un monde peut-être immatériel» (*E.* p. 9), apeuré à l'idée de le rencontrer : «Fasse que je foule une terre et non pas une œuvre de Zeus! (habile jeu d'ailleurs puisque l'une procède de l'autre)» (*E.* p. 10). Toujours est-il qu'à ce moment du récit le Cyclope vient de naître et qu'on pourra s'interroger sur son identité. Ce monstre appartient-il à l'espèce humaine ou alors à Dieu:

« (A Pallas) Fasse surtout que le géant qui habite cette île ne soit point, par un jeu de l'Olympe, ma propre Idée» (*E.* p. 10).

---

5. Voir «Existentialisme et miroir essentiel» et «La dynamique du plus haut période», respectivement pp. 130-164 et pp. 231-258, dans Charles P. Marie, «vers une didactique du rêve. De Bergson à Bachelard. Essai de critique essentialiste», *Ph. D. thesis* Hull 1978, pp. 599.

Cette propre Idée est à décoder. S'agit-il de l'Idée de moi qui est avant moi, ou de l'idée que j'ai de moi? S'agit-il d'un Extérieur, d'un Au-delà ou d'un intérieur, d'un en-deça? Suit la chiquenaude giralducienne concernant les bandelettes et qui lui fait écrire très légèrement:

> «Quel prestige aurait désormais aux yeux de ses matelots ton cher Ulysse, s'ils l'avaient pu comparer à un Ulysse décuplé!» (*E.* p. 10).

L'*essentiel* est dans le début de la réflexion. Réfléchie (optique) et ayant comme point de départ un intérieur humain, l'Idée ne vaut plus rien. Dieu serait fait à l'image de l'homme et l'homme vit de détails, pas d'achèvement ou de plénitude. A l'instant même «l'ombre d'Euryloque (est) happée par l'ombre avide d'un figuier» (*E.* p. 10). Décidément la tentation de l'absolu ne se satisfait pas du formalisme réaliste qui toujours lui donne un démenti (formel...indique le dictionnaire!). Mais le centre de gravité est ailleurs.

A l'approche du Cyclope Ulysse sera pris entre «la crainte de l'immortel» (*E.* p. 11) et le désir de lui résister. Sartre n'a rien inventé en mettant en scène un Jupiter et son Oreste dans *Les Mouches*[6]. Ulysse fait un bon Oreste. A la vue du jeune Cyclope «Tous pâlirent, moins Ulysse, qui ne redoutait guère que lui-même» (*E.* p. 12). Le Cyclope est un bon Jupiter bien handicapé dans son soudain commerce avec les hommes: des Grecs en guise de brebis. La bataille ici sera livrée par Ulysse au niveau des mots. La raison des mots sera invoquée, pas celle de leurs sens. La dialectique de la raison pure joue sur les signifiants et sur leur place dans la phrase, comme si l'*espace* pouvait remplacer la *durée* et les mots changer l'ordre des choses selon le système subjectif de celui qui les utilise: des mots plutôt que des choses, des masques remplaçant la réalité et lui donnant des moyens de réalisme.

---

6. Texte utilisé, Jean-Paul Sartre, *Huit clos* suivi de *Les Mouches*, Folio, Gallimard, 1947.

Qu'est-ce d'ailleurs que le spectacle de la raison humaine sinon un saut de l'irréel subjectif dans le réel quotidien? Se gloser du Cyclope ne doit point faire perdre de vue la réponse de celui-ci à Ulysse: «Etranger, dit-il enfin, tu as la langue bien pendue» (E. p. 15). Regard admiratif sur la dialectique: elle ne changera pourtant point l'ordre des choses. Entrées dans le monde du Cyclope les Grecs doivent périr: «Je m'en voudrais de vous cacher qu'un jour viendra où vous me servirez de pâture» (E. p. 15). Quand on est grec et que l'on vit le mythe de l'Histoire, ou plutôt son sens, on se doit d'échapper à l'ordre établi. Il faudra s'enfuir et faire naître une liberté qui ne consiste pas à accepter l'élan vital d'un Cyclope, fut-il Dieu lui-même. Aussi cet Ulysse «qui a la langue comme un python pendu par la queue et (qui) par elle pourrai(t) soulever un boeuf» (E. p. 16) a-t-il pour nom *Personne*. C'est là une image qui n'appartient pas à la panoplie des images du Cyclope. Elle est absence d'être et du domaine du matérialisme dialectique par excellence. La première de toutes ces images neutres auxquelles s'ajouteront les autres quand tous les Grecs auront créé leur indépendance (liberté sartrienne) au fil de l'Odyssée et suivant le sens de l'Histoire. Marxiste Giraudoux? Pourquoi pas! En tous cas il est légitime de poser la question.

Le Cyclope (l'absolu ou l'absurde)[7]. L'absurde est le côté négatif d'une même chose dont l'absolu serait la forme positive. Un cyclope est-il un absolu ou un absurde? Et pourquoi s'agit-il d'un cyclope? Le personnage présente un avantage sur le Jupiter de Sartre. Il n'est pas fait à l'image de l'homme et il porte en lui de quoi susciter la crainte de l'immortel (E. p. 12). En face de lui se tient la matière rebelle, ce *Personne*, fils *De Personne*, ce pour-soi sans nom qui s'organise pour soi-même et qui s'affiche. Un nom générique Ulysse et un pseudonyme Personne, les deux en un, deux mondes en un:

l'absolu	l'absurde
ULYSSE	**PERSONNE**

---

7. J.P. Sartre, *La Nausée*, Gallimard, 1938, p. 164.

.Ce n'est pas autrement que s'y prendra Sartre pour créer de nouveaux mots:

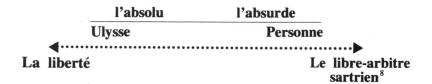

l'absolu	l'absurde
Ulysse	Personne

◄ ·· ►

La liberté　　　　　　　　　　　　　　　**Le libre-arbitre sartrien**[8]

Elpénor serait-il l'histoire d'une lutte entre un dieu fixé et un homme délié? Le cycle du Cyclope invite à le penser.

La *nausée* des Grecs trouve son lieu dans un monstre qui représente avantageusement l'Innommable là où Sartre préférera une racine. Ainsi tous les compagnons de *Personne* trouveront-ils un pseudonyme qui les distinguera du générique, pseudonyme qui les rattachera à la dialectique d'Ulysse, à l'exception du rêveur Elpénor qui se laissera prendre au jeu déclarant être Le Cyclope et non l'œil. Déjà Elpénor se montrera capable, par inadvertance il est vrai, de dépasser le détail formel dans un mouvement vers la totalité, rompant ainsi l'arrangement ou le réarrangement dû au système des mots. Le passage de l'abîme, de la barre, est ainsi accompli comme sur le terrain de Tennis. La balle est maintenant du côté du Cyclope puisqu'elle a passé le filet. La question du Cyclope portera d'une façon tout aussi ambiguë sur l'amour (amour divin/amour humain) et il cherchera à éviter les mots pour rendre l'idée de façon à circonscrire la chose plutôt que la chair du verbe:

> «Par aimer? reprit le Cyclope (et, coloré par les reflets du bûcher, il semblait brûler lui-même)...Par aimer, j'entends frissonner d'un feu qui glace, étouffer d'une ombre aride, j'entends écrire mon nom à la hache sur l'écorce des chênes, et dans la mer avec des quartiers de roche habilement posés» (*E.* p. 19).

---

8. Voir Charles P. Marie, l'analyse des *Séquestrés d'Altona* de J. P. Sartre, pp. 144-164, in *Ph. D. thesis.*

Il s'agit bien d'un feu qui brûle mais qui ne consume pas l'absolu : réminiscence certaine du buisson ardent des Ecritures et apparentement à la Tora préexistante du Judaïsme[9]. Giraudoux présente un Cyclope qui est en même temps ce qu'il *est* et Parole de ce qu'il est: hors la dialectique, mot absolu de la chose qu'il représente. Cet amour est objet matériel au sens bergsonien. Il doit toucher sa virtualité et la gagner à lui pour que cet amour parle. Faute de quoi il demeure anonyme c'est à dire absolu *en* lui-même et absurde:

> «...et je me sens des heures entières anonyme! Et j'entends enfin, selon l'humeur de l'objet, - c'est ainsi n'est-ce pas que vous autres hommes appelez vos amantes? selon l'écart des deux petits plis à son front, fatal aiguillage, arriver en une seconde à l'idée du bonheur ou du malheur éternel, et le tuer (j'entends l'objet) s'il le faut! (*E.* pp. 19-20).

L'objet (image virtuelle a ses humeurs. Il se peut pourtant qu'il repose en l'Etre dans l'unité. Si l'écart pourtant se manifeste entre cet absolu et l'interprétation absurde et la distance est franchie à la seconde même entre le bonheur et le malheur éternels. L'objet aimé est *en* le Cyclope, s'il est à l'extérieur, c'est-à-dire *en* soi-même - état de blasphème aurait dit Péguy - il faudra l'éliminer. Tuer donc cet objet s'il ne correspond pas à l'idée qu'on s'en fait ou à l'identité qu'il devrait avoir. Du côté humain du miroir les matelots chanteront des mots qui seront l'hymne de Pénélope, puis des versets, puis l'épigramme, autant de rumeurs ayant pour objet de caresser avec des effets divers l'ouïe de l'Innommable : toutes ces formes appartiennent à la dialectique et ne se rapprochent que partiellement du langage divin.

Les brebis sont là aussi qui sentent le danger et qui lancent leur tonalité monocorde : le *bée* de l'acceptation. Mais l'homme n'est pas une brebis, il cherche à se délier d'avec le Cyclope, un pieu dans son

---

9. G.G. Scholem, *La Kabbale et sa symbolique*, Petite Bibliothèque Payot, 1975. p. 62.

œil devrait permettre de se débarrasser de l'objet matériel premier: «...ils allaient planter celui-là, et amarrer leur vie au fond de l'ombre éternelle» (*E.* p. 26). Ce qui sera l'engagement sartrien est condamné d'avance car l'ombre éternelle est loin du soleil. Le lieu du pour-soi est dans cette obscurité. Il suffira au Cyclope d'invoquer Neptune et il recouvrera la vue alors que les Grecs avaient cherché à obscurcir le miroir pour toujours: «Vois-moi ô mon père et je verrai!» (*E.* p.26). Le retour au père est envisagé comme une sorte de résurrection par la mer. Cette fin s'impose puiqu'il s'agit de la mythologie grecque, mais le pieu ajoute sans doute à cette symbolique et fait penser à la Croix. Après la parabole de l'Amour survient celle de la Lumière. Mais comment des hommes réussiraient-ils à «verser la nuit dans ce tonneau sans fond» (*E.* p.31)? En effet, l'homme absurde se refuse à recevoir son amour et sa lumière de ce Dieu-là qu'il choisit de voir noir et partant de s'entourer de noirceur. N'ayant pas réussi à punir le Cyclope dans son corps d'un absolu qui engendre la nausée de l'homme, celui-ci devra trouver quelque *nouveau* stratagème pour continuer la lutte:

« - Son corps est invulnérable, ô Ulysse, car Zeus d'un mot peut le guérir.
- C'est donc à l'esprit du Cyclope qu'il faut s'en prendre, répartit Ulysse».
(*E.* p. 31).

Il est difficile, à ce point du texte, de ne pas rapprocher le Cyclope, fils d'un dieu, du Fils de l'Homme, la mythologie grecque de la chrétienne, l'œil ressuscité du Réssuscité. Le plan d'Ulysse est d'ailleurs arrêté. Il faudra tromper le dieu en faussant la nature de ce qu'il voit (*E.* p. 32) et en lui faisant découvrir quelle est sa propre et vrai nature à lui. Le Cyclope fera ainsi l'expérience de l'*enfer* sartrien.
Au lieu d'une *exégèse* on aura une *interprétation,* au lieu de la vérité intrinsèque on aura le mensonge monté en vérité, au lieu de l'*Etre* on aura l'*apparence* de l'être. A croire que Giraudoux était bien un philosophe.

Ulysse fera chanter à ses matelots l'hymne de l'apparence:

«L'apparence n'a qu'une mèche
Qu'une mèche de cheveux...(E. p. 35).

Le lecteur contemporain pensera sans doute à la disposition du cheveu d'Hitler ou au monde unidimensionnel de Marcuse et à d'autres variétés de nuances offertes à l'interprétation de la raison humaine. Tout est alors *dans* le *signifiant*. Le Cyclope sera devenu *fou* dans la considération des Grecs, partant absurde et neutralisé. Il sera présenté non plus comme le motif de la peur de l'homme mais comme sa risée:

> «Notre vœu le plus ardent serait d'avoir à te respecter et à te craindre. Un motif puissant nous l'interdit, et nous ordonne de faire de toi un jouet. Toi-même, l'imbécile, l'approuveras!
> - Moi-même, hurla le Cyclope, moi-même l'imbécile! Et quel motif ?
> - Qui nous dit que tu existes. Cyclope? Nous sommes sûrs de notre propre vie, non de la tienne! Crois-tu donc que je me hasarderais à te nommer imbécile, ou même idiot, si le monde n'était pas qu'apparence!» *(E.* p. 34).

Plus tard, Michel Foucault écrira un très gros livre, pour expliquer ces mystères et les justifier[10] et les Gauchistes de Mai 68 allieront dans leur lutte *apparences* et *interprétations* pour faire progresser la *réalité*.

Une démonstration parallèle mènerait à montrer que croire en l'absolu est subjectif et qu'il vaut mieux fonder sa philosophie sur l'*apparence*. Mais dans ce cas la réalité n'est pas celle de l'être et garantie même de subjectivité. La substitution sartrienne dépend de cette inversion de la *valeur* des signifiés et des signifiants, de l'en-soi et du pour-soi. Tout est déjà là, en puissance chez Jean Giraudoux. Or l'existence de Dieu ne dépend pas de l'homme. La réalité intrinsèque d'un objet dépend de cet objet et non de l'opinion qu'on en donne. Toujours Giraudoux jauge et pèse. C'est ce qui fait de lui, en même temps qu'eux, à la fois Sartre et l'Anti-Sartre, Marx et l'Anti-Marx et

---

10. *Les Mots et les choses*, Gallimard, 1966.

61

ces antithèses dans leur dépassement: il s'agit d'une plus grande perception, d'une plus grande conscience qui se résume dans *Elpénor* en cinq mots:

«Et ils confondaient avec l'Occasion» (*E*. p. 35).

C'est bien l'occasion qui fait le larron et tous les fondements de l'*appropriation* reposent sur cette donnée là. Le grand public continuera d'admirer Jean-Paul Sartre pour avoir composé les longues pages de son *Etre et le Néant,* car l'homme admire l'homme raisonnable ou raisonnant, mais Giraudoux s'était déjà chargé d'élucider sa pensée et d'une façon combien plus lapidaire:

«Alors, il (Ulysse) expliqua au géant le jeu des illusions, et que la matière est esprit, l'esprit néant» (*E*. p. 35).

Si l'esprit est *en* la matière, en aucune façon la matière ne saurait être *en* l'esprit. Si Dieu est esprit, Dieu n'existe pas. Il suffisait d'un syllogisme! Syllogisme que presque tous les auteurs contemporains et clercs à la mode ont repris en chœur avec Sartre, de la grosse caisse à la contre-basse en passant par le sous-fifre et le hautbois. Voici ce que répondit le Cyclope (qui se contentait d'*être* et qui ne *pensait* pas): «-Etranger, dit-il, tu parles bien, et passe pour matière. Mais si chacun n'est assuré que de sa propre vie, je le suis donc de la mienne, et j'ai le droit de saigner et de rôtir vingt-quatre chétives apparences» (*E*. pp. 35-36). Voici l'homme réduit à l'état de matière, ce qu'il désirait tant, en même temps qu'énoncé le principe de l'inter-subjectivité sartrienne[11]. Or en lisant Sartre, et c'est d'ailleurs son objectif, on oublie facilement qu'il nous coupe de l'envers du miroir. Or pour Dieu, l'homme est un reflet de lui-même (de Dieu), une apparence inséparable de lui-même. Que de son côté l'apparence accepte ou non cette relation, Il est leur centre de gravité et le lieu de leur existence.

---

11. J. P. Sartre, *L'Existentialisme est un humanisme*. Nagel 1968, p. 67.

C'est cela *la liberté de Dieu* et elle appartient à la *durée*. Prenez une source de lumière *P* dira Bergson, approchez la d'un miroir et vous aurez une image virtuelle P'. Eloignez maintenant la source de lumière du miroir et il ne restera rien de votre image virtuelle[12]. Or l'homme tend à se vouloir être. Il se croit disait Alain. Se croire, voilà probablement le fondement essentiel de l'existence sartrienne. Giraudoux voit cela, bien entendu, et avant Sartre, mais il voit plus et plus loin car il contemple en même temps l'*espace* et la *durée*. C'est bien pour cela qu'il est une plate-forme de choix dans la littérature mondiale du 20e Siècle. Giraudoux est contemporain de Bersgon (1859-1941) dont il aurait aussi pu être l'élève. Qu'il ne l'ait point été ne change rien à la proximité des deux pensées que j'ai déjà pu souligner dans ma thèse de Doctor of Philosophy[13]. Ulysse appécie pourtant le phénomène d'une tout autre manière comme l'Oreste des *Mouches* auquel Sartre fera dire dans sa réplique à Jupiter : «Mais il ne fallait pas me créer libre»[14], et encore son Egisthe: «Un homme libre dans une ville, c'est comme une brebis galeuse dans un troupeau»[15]. Leurs images n'appartiennent plus ni à Jupiter ni au Cyclope:

> « (Ulysse)...Les apparences auxquelles tu commandes ne sont pas déjà si brillantes ni si nombreuses! Par un coup de génie, tu as pu te créer des images de Grecs. Libre à toi de remplacer chacune par un souvenir vide. Tu es avare et ne voudras point avaler tes trésors. D'ailleurs comment nous prendrais-tu?
> - Je courrai après vous , je vous attraperai, dit le Cyclope.
> - Laisse-nous rire, Cyclope, repartit le menaçant Ulysse. Ne sais-tu donc pas ce que c'est que l'espace?» (*E.* p. 36).

---

12. Sur le concept de «perception pure», Henri Bergson, *Matière et Mémoire*. Editions du Centenaire. P.U.F., 1963. pp. 43-48.
13. «Electre ou la vérité» in *Ph. D. thesis,* pp. 61-76.
14. *Les Mouches, Op. Cit.,* p. 201.
15. *Ibid.*, p. 232.

Dans leur matière, les images appartiennent à l'espace, et il est rare qu'on les rencontre sous leur aspect essentiel. Pourtant dans le rapport $\downarrow\dfrac{\textbf{Esprit}}{\textbf{corps}}\blacktriangledown = \textbf{1,}$ l'unité du chiffre *un* existe. Giraudoux est bergsonien parce qu'à la durée qui caractérise l'essence divine, il oppose l'espace qui est le lieu des apparences en même temps que de l'homme qui se veut unidimensionnel. Il est bergsonien parce que, ce faisant, il cherche à relier espace et durée dans un rapport. Dans ce rapport il cherche à étudier un déséquilibre dans sa relation avec l'unité essentielle. D'un point de vue existentialiste ou surréaliste, Giraudoux est une sur-conscience. Seul, d'un point de vue rationnel, un surrationalisme au sens bachelardien du terme pourrait lui rendre justice. Mais l'analyse essentialiste dépasse cette donnée même car elle se veut (l'est-elle?) transcendantale. C'est à dire qu'elle n'a de cesse, ayant fouillé toutes les apparences, que quand elle peut affirmer avoir rejoint l'être qui commande les formes absolues, l'existence dont sont tributaires les apparences qui retiennent son attention. Cette existence est essentielle. Elle est essence et au sens sartrien cette essence précède l'*existence* sartrienne qui elle est fondée sur les apparences. Ainsi le *signifié* vient chronologiquement avant le *signifiant* qui le représente. Quand on a affaire au schéma essentiel seule compte la représentation, pas l'interprétation.

Au sens humain du terme, le *fou* est celui qui ne s'adapte pas aux normes sociales, c'est-à-dire à la dimension spatiale qu'elles prennent. Le *fou* est celui qui ne vit pas dans les apparences, qui n'en a pas l'épaisseur. On verra que Giraudoux fera d'Elpénor une espèce de démiurge mais ce n'est pas encore le sujet du *Cyclope*. Ici, c'est la relation Cyclope/Ulysse qui importe à Giraudoux. Le premier est un demi-dieu, donc détaché de l'Olympe alors qu'Ulysse a rationalisé la pure matière. Ils sont de part et d'autre du tain du miroir et entre la source de lumière et l'image virtuelle. La relation Cyclope/Ulysse ressemble un peu à l'*absolu*/l'*absurde*. C'est le schéma du combat avec l'ange. Pour les besoins du rationalisme et de la dignité humaine le Cyclope est affublé d'une «âme naïve» (*E.* p. 37), forme giralducienne de l'*idéalisme,* et le jeu qu'on lui fait subir consiste à lui faire accepter une spatialisation progressive de type kafkaïen: «Aujourd'hui, Ulysse détruisait le Temps: et le Cyclope s'allongeait sur la grève, sans passé et sans avenir» (*E.* p. 37)...«Le soir, c'était le tour de l'Espace... et le géant se croyant tenu de marcher par pas indivisibles lançait comme un ataxique le pied loin en avant, et renonçait à suivre la plus faible des brebis» (*E* p.38). Les soldats d'Hilter ne feront pas autrement. A l'exception du noir qui symbolise le fascisme et la mort toutes les couleurs disparaissent. Ainsi le faux remplace le naïf, le mensonge les dieux, l'espace la durée, les signifiants les signifiés. Le pour-soi est projet de mort, l'aliénation de l'être. La praxis est ataxie locomotrice, les faux syllogismes autant de slogans et «l'Univers construit sur des nombres» comme le sera la statistique «...il voyait chaque chose rouler sur de petits chiffres comme sur des dos de fourmis» (*E.* p. 38). Comme l'Oreste des *Mouches,* Ulysse ne voudra plus de la nature. La chose en soi disparaît remplacée par l'organisation rationnelle, -ce que Sartre appellera l'entreprise[16]. Le structuralisme est chosification, le passage du *cru* au *cuit* et la mort de l'Etre. Que de chose en deux pages du texte de Giraudoux! Défilent la mort de Dieu, la mort de l'homme (car de l'existence de l'un dépend celle de l'autre), l'homme structuraliste, l'homme existentiel. L'homme unidimensionnel normal n'est plus un homme mais un robot: lui manque alors l'esprit qui lui est fourni par conditionnement ou par programmation:

> «Déjà il bégayait, se heurtait par chaque mouvement aux parois de la grotte, et, comme un enfant, n'avait plus qu'un souci, nourrir ses images» (*E.* pp. 38-39).

Le cancer qui s'empare du Cyclope est celui de la chosification humaine. Il est aussi sur l'homme. Qu'est-ce qu'un cancer, sinon des cellules devenues folles et qui consomment ou qui consument jusqu'à extinction les cellules demeurées authentiques et pures. Il en va ainsi de

---

16. J.P. Sartre, *Les Séquestrés d'Altona,* Gallimard, 1960.

la naïveté et de l'*esprit*. Nulle part Giraudoux ne dit que ces images, que ces brebis étaient des produits de l'imagination du Cyclope ou d'Ulysse. Non, les Grecs sont dans la nature une race à part et la mythologie chrétienne se lie à la mythologie grecque. Il faut les considérer toutes deux comme par superposition et dans leur somme:

> « (Du Cyclope) : Lui-même maigrissait, mais il gavait les Grecs de beurre et de fromages, et ses brebis, traites à chaque instant, maigrissaient elles aussi, car elles étaient sa chair, brebis aimées! et point d'ingrates apparences» (*E*. p. 39).

On pourrait sans doute parler d'Eglise apauvrie, de Société de consommation. Du triomphe de l'exploitation, d'Ecologie même, de *chair* avilie. Tout ceci parce que l'esprit est mort (esprit de Dieu). Les Grecs sont de fausses images (le double de l'esprit dans son rapport avec le corps), ce sont des parasites susceptibles de se donner à qui les traite bien. Ils deviendraient volontiers les images du Cyclope comme ils ont été celles des Ciconiens (*E*. p. 39) et des filles de Mélados.

Dieu et les hommes sont-ils faits pour ne point s'entendre? L'un attaché aux autres, celui-ci qui veut ceux-là esprit, ceux-là qui le veulent matière. Et dans ce face à face occasionné par le miroir, Dieu et espace se recoupent hors du temps de telle façon que l'espace appartient au temps comme le temps à l'espace: autre illusion encore à laquelle Giraudoux laisse prendre son cyclope alors qu'en réalité homme rationnel et Dieu appartiennent l'un à l'espace et l'autre à la durée:

> «Le Cyclope enfin n'y tint plus...
> - O Etranger, supplia-t-il, délivre-moi!
> - Délivre-nous, Cyclope, répondit Ulysse, et tu es libre.
> - Jamais, cria Polyphème! Ou bien vous restez mes images, je vous soigne et vous garde. Ou vous ne l'êtes plus et et je vous dévore» (*E*. pp. 39-40).

L'alternative offerte ici n'est pas celle du christianisme. Peut-être est-elle fidèle à l'Idée du Dieu des armées de l'Ancien Testament ou tout simplement à Homère, mais semble-t-il, dépourvue du fil du destin. Le Cyclope a été attiré dans l'espace, un moment la durée semble elle aussi spatialisée et Ulysse semble avoir gagné son pari alors que le Cyclope n'est plus qu'une carcasse...amaigrie. Ce qu'il est important de voir dans ce face à face des signifiés et des signifiants, c'est qu'il est une liberté de la durée et une liberté de l'espace. Si les phonèmes employés par Giraudoux dans l'expression sont semblables, les sens eux diffèrent, à moins que la relation essentielle soit respectée:

$$\left|\frac{\textbf{Durée}}{\blacktriangledown\textbf{espace}} = 1.\right.$$

A ce point du combat les camarades d'Ulysse chantent l'*Aspect lamentable de la vie du Cyclope,* «hymne effarant» nous dit Giraudoux; et pour cause, puisque la dialectique a vidé l'être de son contenu. Le Cyclope est devenu a-cosmique, a-divin et tristement a-humain, car qu'il le veuille ou non l'homme est reflet. Le Cyclope est aussi devenu slogan, bruit de laboratoire et réalisation du projet humain: image matérielle absolue, reflet de l'Etre avant que celui-ci ait été frappé par la grâce et donc créé:

«Ainsi que l'oiseau égaré dans un nuage, je ne sais plus où est le ciel, où est la terre, où sont les flots. Du cœur de Galatée me sépare le vide, l'infini et le néant. Des yeux de Galatée me séparent l'éther, les prismes trompeurs, l'espace que rien ne comble. De la pensée de Galatée me séparent l'éternité, l'inconnu, et le brouillard principe. Les trois mains du temps, le présent, le passé et l'avenir, jouent à la main chaude avec la main de Galatée. Des lèvres de Gala...» (*E*. p. 40).

A ce stade de la vie du Cyclope, il n'est plus que chaos, être malade fait de formes seulement et degré zero de la matérialité, retour au début des temps.

Tout peut alors être recommencé. C'est ce que réclame Ulysse, alors que fort à propos, mort vivant qu'il est, le Cyclope implore le remède de la raison dialectique:

> «Le remède, Cyclope, est que nous reprenions l'aventure au point où nous l'avons laissée» (*E.* .p. 41).

Que du jour, entre autres termes, où la grâce frappe la matière pour lui donner vie, dès ce moment même, l'homme puisse jouir de ce bien pour soi-même. Que l'homme apprenne donc dès cet instant qu'il est libre. Sartre ne dira pas autre chose. Si Dieu laisse vraiment l'homme agir à sa guise, ce sera alors l'aventure humaine et ce que Marx nomme le sens de l'Histoire. Or *Elpénor,* comme l'*Odyssée* se veut de suivre cette aventure humaine. S'agira-t-il d'un sens précis donné par l'homme à l'Histoire (défini avant ou à définir après) comme le présuppose la théorie marxiste, ou d'autre chose et si cela devait être, quoi?

L'homme est maintenant prêt à sortir de la grotte du Cyclope: mise entre parenthèse de la mythologie (de toutes les mythologies) et extension de l'espace humain à des   dimensions qui l'honorent. C'est ainsi qu'accrochés au ventre des brebis Ulysse et ses matelots sortiront de la grotte. Faisant corps avec les images du géant, celui-ci ne les verra pas partir assimilés qu'ils seront aux ombres de lui-même. Ainsi en va-t-il du signifiant qui demeure semblable à soi-même alors qu'il porte un autre sens. D'ailleurs l'*entreprise* veut que ce qui était devenu corps du Cyclope, par image interposée, redevienne corps de l'homme: «Nous voulons reprendre nos corps dans les recoins de la grotte où nous les avons laissés le soir où tu fis de nous tes images» (*E.* p. 42). La matière ainsi se rebelle entraînée qu'elle est maintenant par l'esprit humain. C'est dans ce sens que le Cyclope pourra déclarer:

«Sauvez-vous donc(...) Adieu» (*E*. p. 42)! Deux interprétations ici, *sauver*, partir et *sauver*, épargner sa vie *en* vous, loin du sauveur. C'est de cette façon qu'ils «disparurent dans la lumière...Ainsi les rêves» (*E*. p. 42). Giraudoux ne néglige pas la possibilité de raisonner par analogie. Les images du rêve, liées à un archétype premier prennent le large dans la vie consciente qui leur donne un sens souvent très différent du sens archétypal. Les images sont en quelque sorte rationalisées et privées de leur authenticité, sauvées hors la grotte, mais perdues pour leur véracité. Ainsi va le glissement des signifiants, le sens de l'histoire, mouvement soudain dans l'espace, hors la durée. Horizontalité humaine après la verticalité d'un absolu; libre! «Poursuis-nous! ordonna Ulysse, quand il fut à distance raisonnable» (*E*. p. 43). La grande poursuite de l'espace par la durée commença: liberté humaine (libre-arbitre) et liberté divine:

> «Le Cyclope les poursuivit, sans se hâter, car, éblouis par le jour, c'est eux qui étaient aveuglés, et ils titubaient à chaque pierre» (*E*. p. 43).

Il est difficile de ne pas établir un rapprochement entre cet odyssée et les quarante années du peuple d'Israël dans le désert avant que les deux parties retrouvent leurs traces et la Terre promise. Est-ce présage? l'indépendance de l'homme est liée à des voiles *rouges,* comme si le sens de l'Histoire devait procéder de cette couleur où encore comme il en va dans les corridas. Mais qui est le taureau? Le Cyclope ou l'homme?

> «C'était la première image du vaisseau qu'eût créée le Cyclope, et il balançait sur les eaux avec surprise, et il tâchait de la séparer de son reflet, aussi coloré qu'elles-même» (*E*. p. 43).

Cette image du cyclope est un reflet qui se reflète ailleurs que sur lui-même. Soit le schéma : P.......**I**.......$\dfrac{\text{P'}}{\text{P''}}$

Créée par l'homme, l'image se reflète en elle-même sur elle-même: matière sur matière. Tout est alors signifiant, plus rien n'est *en* Dieu:

L'image

image de Dieu = lui-même ┆ soi-même = image de mer.

En d'autres termes, la matière reprend ses droits, animés par l'esprit de l'homme et semble échapper (dans l'espace) à celui qui le premier les a créées.

Ce jeu à trois dimensions est exploité par Giraudoux (P, P' P''). Ne pas le distinguer entraînerait l'incompréhension de la construction giralducienne. Rares sont ceux qui jusqu'ici l'avaient distingué. Albérès l'avait peut-être deviné, Alain Duneau?

> «Le temps pour lui (le Cyclope) de créer l'image des avirons, du mât de perroquet et du mât d'artimon, et le vent déjà gonflait les voiles» (*E.* p. 43).

Giraudoux ne veut pas que le Cyclope découvre les objets par projection d'eux-mêmes en Sa perception. Le Cyclope les crée pour qu'ils soient car ils sont matière que l'homme utilisera suivant l'esprit des hommes à des fins qui sont peut-être celles de Dieu. Giraudoux ne permet pas à l'Histoire profane d'avoir le dernier mot.

Avant son départ le Cyclope aurait voulu caresser «le visage d'Ulysse. Mais le héros détournait la tête avec dégoût» (*E.* p. 42). Voila qui ressemble beaucoup à la nausée sartrienne. Loin du Cyclope, fier de son exploit, Ulysse pourra, toujours dominé qu'il est par l'espace, clamer son aversion: «O Cyclope, criat-il, masse imbécile! ta stupidité est comme ta laideur, sans limites» (*E.* p. 44)! des limites que le lecteur aura raison d'estimer en fonction de celles de l'esprit d'Ulysse...«Crois-tu donc que les images d'un rustre puissent être des Grecs, et qu'un cerveau de Cyclope puisse sans éclater inventer l'idée d'Ulysse?» (*E.* p. 45). L'orgueil de l'homme! Voici Ulysse et c'est Nietzche qui parle: «Car ce n'est pas moins qu'Ulysse et ses compagnons que tu viens stupidement de libérer, et n'attends plus de douceurs de ton métier pastoral, car là où ils sont passés le tendre gazon ne repousse plus sur les âmes» (*E.* p. 45)!

Ainsi les images de Dieu que sont les hommes ne sont pas parcelles de lui, son front, ses pieds, etc.. mais eux-même: Euryloque, Périmède, Orkeus et Pisélonte etc.. ceux que Giraudoux appelle «les membres vivants de l'Odyssée» (*E.* p.45). Est-ce une allusion au corps vivant de l'Eglise dans un renversement matérialiste? Ulysse est-il Giraudoux? Mais voici à quoi pensait le Cyclope, au moment même où on l'injuriait:

> «On devrait toujours garder ses images près de soi, comme ses troupeaux, pensait le géant. Dès qu'elles s'éloignent elles deviennent sauvages et nous insultent» (*E.* p. 45)!

Loin de la durée qui est leur lieu à toutes, les images s'égarent dans l'espace incommensurable en sa matière, la mer n'a plus de reflet, la terre plus d'échos. Giraudoux laisse son Cyclope à la joie des images plus proches, plus familières, il le laisse retrouver les couleurs. Sans l'homme, son monde reprend des dimensions d'harmonie dans la lumière du ciel et les mouvements du geste quotidien. Aux lames de la mer qui emportent Ulysse succèdent les «larmes d'espoir» (*E.* p. 47) qui coulent dans le lait donnant naissance au «plus délicieux de ses fromages» (*E.* p. 47). Il n'est pas sûr que Giraudoux ait été conscient de ce qui est plus qu'une belle image. Le lait caillé lui aussi devient espace, mais la transformation, elle, résulte d'un procédé qui dépend de la durée.

Nous avons cédé à la tentation d'assimiler le Cyclope à Dieu, une analogie que Giraudoux n'a pas répugné d'utiliser. Elle permet d'éclairer la conception que l'auteur d'*Elpénor* se fait de la condition humaine dans ses rapports avec une métaphysique surtout influencée par la lecture d'Homère et des classiques grecs. *Le Cyclope* laisse à penser à une reflexion qui n'est pas éloignée de celle que Sartre aura sans doute plus tard, qui sait?, peut-être à la lecture même de Giraudoux. L'idée d'un Giraudoux existentialiste et même marxiste sourira sans doute à certains. A la lecture du passage il est difficile de statuer sur ces choses là. Tout au plus peut-on suggérer que Giraudoux était conscient de ces problématiques dans leur relation, est-il nécessaire de l'ajouter?, à l'idée de Dieu. Tout au plus peut-on dire que chaque personnage du *Cyclope* est fidèle à sa part de vérité d'occasion et Giraudoux à son rôle de narrateur. Au demeurant est certaine à l'esprit de Giraudoux la dichotomie formée par les éléments du rapport de la durée à l'espace.

LES SIRENES

Giraudoux sait qu'il est une différence entre être et connaître. Il le prouve en mettant entre les mains D'Ulysse un certain degré de prescience. S'étant détournés du Cyclope, les Grecs vont devoir affronter des monstres. Ses compagnons admirent beaucoup le verbe d'Ulysse qui semble porter en lui la sagesse du monde, image fidèle d'un *en-soi* qu'il n'est pas, mais qui ressemble à une première génération comme si le *pour-soi* d'Ulysse était à la dimension absolue d'un *en-soi*. Ulysse illustre ici le principe du surrationalisme bachelardien, qui en ce domaine est lié au verbe comme le croyait les encyclopédistes et ceux qui firent la Révolution Française. Témoin ce que disent les compagnons:

« - O Ulysse, crièrent-ils, il n'est qu'une corde solide, celle que ta parole passe au col de tes auditeurs, et pour jamais ils sont tes prisonniers!» (*E*. 55).

Mais le roi d'Ithaque sait mieux, il veut qu'on l'attache au mât pour ne pas être emporté lui-même par la tentation d'un absolu qu'il sait devoir rencontrer en chemin. Dans une heure les Sirènes, dans une heure et demie, Scylla, dans deux, «s'il en reste» (*E*. 53) l'infect Carybde. Voici le voyage vers les Enfers qui a commencé, et, chef des Grecs, il mène son bateau, certes maître à bord, mais emporté par les vagues. Dès la première ligne du chapitre, Giraudoux précise le sens de l'Histoire, et le lecteur sait à quoi s'en tenir sur les idées de Giraudoux-Marxiste:

«Le navire allait à la dérive» (*E.* 51).

Peu importe d'ailleurs la raison d'occasion, la fatigue. Il est une raison plus profonde qu'il a relatée dans *Le Cyclope*. Les chapitres qui suivront seront autant d'illustrations des conséquences d'une absence et l'exploration d'un espace. D'ailleurs qu'attendre d'autre puisque la terre est plate! Au-delà du rationalisme Giraudoux qui aime le rôle de devin accorde à son Ulysse des prémonitions astucieusement calculées, ce qui lui donne des dimensions dramatiques. C'est lui qui à la tête du bateau fait l'Histoire, élargissant ce faisant un champ de perception qui lui permet le rapprochement avec l'Absolu. Les Sirènes décideront de «révéler à ces timoniers leurs secrets divins» (*E.* 57) et leurs prédictions ressemblent à un rêve, un chant qui permet la contemplation de réalités plus essentielles, un nouveau continent, la nature sphérique de la terre, la pesanteur, l'imprimerie. Elles permettront à Ulysse de rêver le monde avant de le découvrir, idée chère à beaucoup, entre autres à Barrès et à Bachelard, car la réalité *est* sous ses trompeuses apparences. Les choses *sont* avant que l'homme les découvre, avant que par lui les voiles de la nuit se dissipent. Pendant ce temps le peuple trime et rame, offrant une admiration sans borne à son leader qui pour le satisfaire ironise et joue sur les mots, alors que sa pré-vision le harcelle comme la *conscience* qu'attribuait Hugo à Caïn. Les Sirènes ne sauraient d'ailleurs qu'«insulter son âme modeste» (*E. 60),* modestie feinte qui a en réalité les dimensions d'un *pour-soi* exacerbé et qui montre l'orgueil d'Ulysse *en* lequel tous ses compagnons s'admirent. Il n'est point encore de révolution prolétarienne selon laquelle cette admiration serait *en* eux-mêmes, leur propre image devenant alors par elle la limite du monde.

Ulysse apprend d'ailleurs, révolution moderne par excellence, que ce n'est qu'en rendant compte que l'on rend vie. L'absolu n'existe au sein du *pour-soi* que dans la mesure où il est quelqu'un pour le relater.

Mieux vaut alors parler de fanfaronades plutôt que de l'absolu qui peut les avoir provoquées. Qu'il cesse d'improviser une réponse humaine aux sensations divines et Ulysse déçoit car au pays des hommes il n'est pas besoin de vérité mais seulement d'une terminologie qui satifait le principe de communication:

> «Ulysse
> Charybde
> Sirène
> Trirème (...)
> - Certes vous avez raison, ô matelots, reprit-il, et ces quatre vers semblent médiocres, répétés par l'humaine voix» (*E*. 63),

ce qui pose à la fois la question de la valeur du langage et de la réalité du merveilleux. Mais ajouta-t-il, «en les entendant, ce n'est pas eux qu'on entendait» (*E*. 63). Giraudoux reconnaît l'essence de la poésie, l'*en-soi* qui précède le *pour-soi* langagier et qui fait du premier l'objet de la poésie et somme toute son lieu:

> «Les quatre mots de la sirène rousse, parvenus à votre oreille, devenaient soudain un chant étrange, et qui rongeait le cœur, et chacun ouvrait la serrure d'une époque inconnue» (*E*. 63).

L'initiation poétique passe par une zone d'indétermination qu'elle dépasse. L'objet de cette poésie, cette chose en soi existe et il faut la connaître. Mais c'est elle qui s'impose à la connaissance de l'homme (à sa perception, puis à sa conscience) elle est d'essence transcendantale. Sartre ne pouvait être poète. Giraudoux l'*est* et c'est probablement une bien heureuse chose (chose en soi) pour la littérature contemporaine. Ulysse apparaît alors comme un mage et sa façon de regarder les Sirènes ouvre sur un Giraudoux qui ne méprise pas la boule de cristal et l'occultisme. Giraudoux croit d'ailleurs en la prédestination, en tous cas en celle qui donne le droit à l'écrivain de dessiner le futur de ses personnages.

Loin des vivres offerts par le Cyclope les matelots demeurent affammés, mais que leur importe puisqu'ils sont libres et qu'ils ont l'habileté de se convaincre. N'ont-ils pas la parole? Et que chantent-ils alors?

> «Il est stupide pour un affamé, criaient-ils, de parler toujours de repas! Tirons de notre pensée, comme on le fait du bœuf assommé, les larges poumons, les foies succulents et la nombreuse fraise!» (*E.* 59).

Autant donc pour l'idéologie, pour la dialectique et pour la raison pure. Pour l'interprétation aussi puisqu'il suffit de *signifiants* pour créer des réalités bien tangibles qui ont pour nom vin, pour nom poisson...Ulysse, par un étrange mouvement occulte du sens de l'Histoire, voyait «dans une bourgade sans préfet (Bellac?) (...) la chasse aux œufs de Pâques par de vertes prairies donnait à l'âme un mouvement mortel!» (*E.* 64). Idéologie et prédestination s'affrontent pour exposer le sens de l'Histoire. Gageons que Giraudoux s'est beaucoup diverti à l'élaboration de son *Elpénor* «Quel reflet! Quel prime! Quel foyer!» (*E.* 65) qui laisse d'ailleurs à penser que tout est dans tout et réciproquement:

> «...comme le reflet d'un miroir dans des miroirs» (*E.* 65).

Reste à deviner cette chose là qui la première est reflétée. C'est elle qui importe même si Giraudoux est passé maître à pourfendre les divers reflets de sa faconde, Ulysse pas, lui qui de sa référence à Bellac (*L'automne en personne*) (*E.* 64) dit qu'«on croyait entendre un épigramme» (*E.* 65). La poésie est chose entière avant même que d'être dite. Dès qu'elle est dite elle n'est plus elle-même, mais reflet de miroir que d'autres reflets de miroirs s'apprêtent à redire et ceci toujours. Tout est affaire d'optique et d'acoustique (La mer, l'écho).

Fatigués de trop voir et hors sens, l'équipage en oublie de détacher Ulysse alors que le navire vogue et que le héros profite de la contemplation d'un silence, enchaîné qu'il est au mythe même, par son verbe:

> «Heureux d'être attaché, comme s'il se sentait coupable, il méprisait soudain les poètes, qui se vantent d'ouïr les Muses et n'ont dans les oreilles que la clameur des hommes» (*E.* 66).

Quel heureux coup de boutoir au poète lauréat de l'histoire et à tous ceux qui font métier sans *être*. Il avait vu les sirènes. Perception pure: un *pour-soi* qui se fond dans un *en-soi,* son lieu même.

C'est alors qu'Elpénor, repu de drogue, monte sur l'entrepont. Beau Saint Thomas, lui n'a rien vu et il est heureux comme le sont les hommes. Inconscience hors de la métaphysique et hors du sens de l'Histoire. Conscience et perception sont au centre de l'analyse giralducienne. Il est des absolus par participation ou par manque.

MORTS D'ELPENOR

Etrange rêverie que celle des «Morts d'Elpénor», qu'on dirait qu'elle ne saurait vivre sans le mystère des eaux, sans le mystère de la terre, sans la juxtaposition des mythes de la Grèce, et sans que surgisse pour finir le mythe chrétien dans toute sa force sur une mer enfin devenue étale, apaisée ainsi que toutes les vaguelettes offrent une image unique à la surface des eaux. Une Ophélie, oui, mais ressuscitée celle-là hors les images mortes du monde, un radeau qui s'offre alors à la tangente de la courbe terrestre, un point unique et total qui représente la vie à un degré zéro, comme si soudain toutes les images possibles de ce dieu s'étaient réunies en une image absolue: toutes les images «plus une», toutes réunies dans celle-là: Ulysse était sauvé (*E.* 110).

Ô merveilleux Giraudoux, coup du magicien, à grand renfort de *gaffe,* de *conasse,* de *virempot,* de masure d'*astifin, soupies* et *bordines,* autant de mots techniques suscités pour expliquer le prodige:

> «Huit jours il fut ainsi sauvé, flottant à l'aventure, sans voile et sur un océan et dans une vie si déserte qu'aucune métaphore même ne pouvait s'ajouter aux pensées ni aux mots et les alléger. Le soleil étincelait, semblable seulement au soleil. La lune, semblable seulement à la lune, brillait, pâlissait... Ballotté, secoué, doré le jour, d'argent la nuit, Ulysse prenait parfois dans ses mains ses chevilles où les mains d'Elpénor avaient creusé des anneaux rouges, et il regrettait cette pauvre image indigente et obstinée de son destin, comme le chêne qu'emporte un torrent regrette sa racine moindre» (*E.* 110).

Plus de métaphore donc! Un degré zéro de la graphie, non pas l'écriture classique ou bourgeoise dont parlera Barthes, mais un état parfait qui ne peut se satisfaire ni de l'ajout ni du retranché; ces deux notions, en fait, s'annulent et le support *essentiel* est atteint:

$$\downarrow \frac{\text{Pensée}}{\text{mot}} = 1.$$

Giraudoux respecte d'ailleurs la chronologie et pas au hasard! Il sonne le glas de l'aventure d'un Jacques Lacan, par exemple, avant même que Lacan n'ait repris à son profit l'Odyssée des *signifiants*. Au travers la brume désormais inexistante l'être se projette entièrement dans son reflet total, image absolue -Imagination formelle, totalement représentative de l'imagination matérielle première - image virtuelle et absolue interprète de l'objet réel. Giraudoux donne ici raison à la fois à Bergson et à Bachelard selon une «axiomatique» *essentialiste* que de rares poètes, tels qu'un Shelley, ont atteinte. Mais il faudrait relire les textes de Bergson ayant trait à la perception pure et les analyses de Bachelard dans leur quant-à soi d'imagination*: Giraudoux exulte!

«Le soleil étincelait, semblable seulement au soleil» (*E.* 110).

$$\downarrow \frac{\text{Concept}}{\text{forme}} = 1 \qquad\qquad \downarrow \frac{\text{Soleil}}{\text{soleil}} = 1,$$

et ce n'est pas une tautologie, ni un sentiment naïf. C'est la réalité de l'être, le contraire même du réalisme! C'est l'être révélé. L'irréel réalisé : l'absurde démythifié. L'absolu de la chose en soi...enfin!

«La lune, semblable seulement à la lune, brillait, pâlissait...» (*E.* 110).

Il n'est pas surprenant que dans un tel contexte apparaisse également l'image totale de l'homme devant le soleil et devant la lune:

«Ballotté, secoué, doré le jour, d'argent la nuit...» (*E.* 110).

Ulysse, le fils de l'Homme, et ce n'est pas une analogie, mais un suaire...

«...Ulysse prenait parfois dans ses mains ses chevilles où les mains d'Elpénor avaient creusé des anneaux rouges» (*E.* 110).

Catholique...Giraudoux? Comment ne pas penser aux marques laissées dans le creux des mains et sur les chevilles du Christ mis en croix. Est-ce pudeur laïque qui fait que les critiques de Giraudoux sont timides à reconnaître ces faits. Ont-ils peur d'un Giraudoux chrétien? D'un Giraudoux prêt à dépasser le rôle du littérateur concerné par la seule illustration du projet humain en société? Or il est vrai que Giraudoux peut faire peur, bien qu'il soit plutôt un genre d'Holopherne à l'envers. Toujours est-il qu'en cette fin de chapitre Giraudoux présente une image affinée et épurée de l'homme, d'un homme qui semble pourtant regretter l'abandon qu'il à dû faire de l'homme humain en cours de route. Cette image virtuelle totale d'un objet premier absolu regrette les images virtuelles imparfaites de ce dieu qu'il a laissées en route et dont le prototype en cette partie de chapitre n'est autre qu'Elpénor:

«...il regrettait cette pauvre image indigente et obstinée de son destin, comme le chêne qu'emporte un torrent regrette sa racine moindre» (*E.* 110).

Elpénor, pauvre image, image totale apauvrie aux proportions réduites à un relatif d'image d'absolu. L'absurde sartrien est là si on envisage l'événement en partant de l'objet en soi :

en-soi	pour-soi
Ulysse	**Elpénor,**

«obstinée» aussi cette image qui forme son destin à la dimension d'un pour-soi (désir d'être pour lui-même et par lui-même d'Elpénor). Le destin de l'homme absurde hors de la rédemption, mort par manque de perception pure dans le sens d'une histoire qui ressemble, à quelques libertés près, à l'Odyssée. Seul enfin de compte Ulysse est sorti des eaux. Le mythe chrétien recoupe ici les religions plus anciennes, Isis, Osiris...La terre enfante un soleil absolu: image virtuelle et objet matériel se confondent hors des à peu-près qui ont vécu pour eux-mêmes dans les oscillations du temps. Le radeau d'Ulysse ressemble beaucoup à un tamis. A force de secouer tout le sable s'est écoulé et seule demeure la pépite. Giraudoux chercheur d'or? Et pourquoi pas? Mais que reste-t-il du beau destin humain, de toutes ces images qui tombent par défaut - toutes consciences réelles ou consciences possibles au sens où l'entend Lucien Goldmann. L'Elitisme de Giraudoux? Seul il entrevoit la conscience absolue et sa «perception pure» procède de l'esprit des Ecritures...Le reste n'est que littérature!

Voilà qui nous éclaire sur la nature d'Elpénor, sur la nature de l'homme, sur la fonction du héros, aussi, puisque tout en cherchant à l'étouffer ou à le noyer, l'homme s'accroche à l'absolu dans son effort d'appropriation. Décidément *Elpénor* contient toute la philosophie de Jean-Paul Sartre et explique à la fois capitalisme et marxisme, l'un et l'autre étant fondés sur l'appropriation, l'appropriation de la matière désincarnée, lutte des forces négatives pour la possession et la jouissance. Pourtant de cette lutte l'Esprit demeure absent et Giraudoux aussi qui se contente de passer la lampe d'Aladin sur les choses humaines et de les refléter au miroir essentialiste.

Le chêne a peu besoin des racines moindres, et c'est sans doute pour l'avoir compris que l'homme médiocre (et c'est la majorité) lui fait la guerre avec constance au lieu de fournir cet effort de surrationa-lisation qui permet le lien entre une immanence et une transcendance. Quant à l'université elle s'intéresse surtout à comparer l'inclinaison des vagues. Il en va de l'esprit humain qu'il s'intéresse à ces comparaisons statistiques plutôt qu'à la mer étale qui file en tangente et sur laquelle il n'a aucune prise. Serait-ce la raison pour laquelle Giraudoux aurait renoncé à l'Agrégation, trouvant une route plus normale par l'écriture et la poésie qui le mènerait à une authentique compréhension du monde et de lui-même - véritable suracadémisme par des chemins détournés. Sont-ce là des suppositions ou la réalité? Le rôle du chercheur n'est pas d'être dogmatique, mais de souligner le dogmatisme quand il croit le rencontrer, s'agirait-il du dogmatisme de l'absolu. Giraudoux prophète et prophétie! (Les deux en un, le second dans le prolongement du premier - Image virtuelle totale, dans le fil de la durée et de l'élan vital.. loin de la métaphore). Façon d'écrire, aussi: usage abondant, surabondant même de la métaphore... pour s'en débarrasser totalement: c'est cela, la *transparence,* dépassement véritable de l'obscur dans la clarté.

Toute la méthode est là. Il s'agit d'un mouvement qui procède d'une part d'oscillations dont l'école positiviste travaillant essentiellement dans l'espace rendra scrupuleusement compte dans le détail et dans l'isolement de chaque relatif. Les historiens appellent cela un *fait.* On aura de belles biographies factuelles, des exemples de géométrie côtée, des gouttelettes consignées dans le bel album des statistiques. Mais Giraudoux est ailleurs. On ne peut le saisir que dans la durée: Insaisissable Giraudoux? Envisagé sous cet angle (celui de la ligne droite) je ne le crois pas. Dans l'espace: bien sûr c'est une perte de temps!

Le champ de la quête giralducienne procède de la durée: c'est cela que c'est un chant, et pas une dialectique. C'est le champ de la chose en soi qui doit pour finir s'imprimer *totalement* sur la rétine, sur tout ce qui est système nerveux! Valéry qui disait que la vraie poésie c'était le système nerveux avait en quelque sorte annoncé le moyen de l'analyse giralducienne: une poésie dont le lieu est résolument en dehors des mots, ou plus exactement au-delà d'eux. Le mot indique un balancement, l'objectif est l'immobilité complète hors les tribulations de l'humanité, le caractère inspiré: Moïse et ses tables. Il est peine perdue que de vouloir chercher Giraudoux ailleurs!

N'est-ce pas parce qu'elle est perdue aux yeux de la raison qu'Ecclissé trouve des «métaphores fausses» (*E*. 82) qui par contre semblent tout à fait justifiées dans leur rapport avec la Nature qui est à la fois leur centre de gravité et le lieu de toutes choses?

Dans la première partie de «Morts d'Elpénor», Ulysse n'est pas *en* dieu, mais *en* la raison, distinction qu'on ne peut plus faire dans la dernière page du chapitre. Il achève les métaphores commencées par Ecclissé et qui sont laissées par elle en suspens, débuts de métaphores justes par rapport à la nature et au cosmos, «métaphores fausses» et de type rationnel dès qu'Ulysse les achève:

> «Ecclissé : Mes bras tombent comme, comme...
> Ulysse : des fruits.
> Ecclissé : Je suis perdue comme, comme...
> Ulysse : une fille» (*E*. 83).

La loi de la pesanteur est là telle que l'homme l'envisage et la loi sociale telle qu'il la veut aussi, la première doit être vue dans l'éclairage de la seconde.

L'objet réel et matériel (bras - perdue) n'est pas reflété correctement au miroir dès qu'Ulysse les interprète suivant le langage humain et suivant la dialectique de la raison critique : *fruit* et *fille* font rire. La «métaphore fausse» ainsi établie est une métamorphose au sens kafkaïen et pas un pur reflet. Ulysse n'est pas coupable de métaphore pure, de métaphore vraie, Ecclissé si, mais pas devant un mensonge. Le vol des coupes «dérobées» (*E*. 83) introduit un malentendu et Ecclissé est condamnée au silence, celui de l'en-soi trompé par la participation de la subjectivité de l'homme à la composition du reflet. La subjectivité du pour-soi humain engendre un manque auquel Ecclissé ne peut que répondre par une *abscence*. L'ordre naturel est détruit. Les coupes préparées par Ecclissé sur ordre de Circé ont été détournées de leur objectif. Ce sont les coupes de la Chute. Si le projet divin avait été respecté, absorbées normalement par les compagnons d'Ulysse et par le roi d'Ithaque, elles leur auraient donné «l'illusion d'être chacun un dieu» (*E.* 77) - Participation donc à un Eden premier, assimilation de l'homme à Dieu, en lui et par lui «Pour que je me prétende Zeus» (*E.*77). L'ordre prévoyait l'assimilation de l'être humain en le projet de dieu, donc *en* Dieu. Ulysse devenait le prolongement de Dieu et n'étaient possibles que des métaphores justes *en* leur lieu d'origine.

C'est ainsi qu'avant le mensonge des coupes, qu'avant la Chute, donc, Ecclissé pouvait établir des métaphores vraies du type:

«Euryloque et Périmède, semblable au tigre, semblable au lion» (*E.* 75),

dans une participation à la création. Soit:

$$\downarrow \frac{\textbf{Tigre}}{\textbf{Euryloque}} = 1, \quad \downarrow \frac{\textbf{Lion}}{\textbf{Périmède}} = 1,$$

«vérité de corps» et absolu, coïncidence possible d'une «beauté de fonction», d'une «beauté d'occasion» à une «beauté de corps», *en* le tigre, *en* le lion, à la Nature.

Or en face de cette métaphore juste (en-soi), mais fausse aux yeux d'Ulysse, se dresse la virtualité que celui-ci crée, rationnelle, celle-ci, ajustée à la «beauté de fonction» nécessaire au groupe et à Ulysse et qui est sanction aussi d'une appropriation:

«...Euryloque astiqué et roux, semblable à la belette, Périmède affable et tout noir, semblable au castor» (*E.* 75).

Des métaphores d'Ecclissé à celles d'Ulysse, il est comme un saut du *cru* au *cuit,* suivant la terminologie de Lévi-Strauss, mouvement de la nature à la civilisation. Se dessine en effet le passage de l'être au paraître, de l'essence à la fonction, de l'existence intrinsèque au réalisme.

Qu'on ne s'y trompe pas, ce n'est que dans l'esprit d'Ulysse que le choix des épithètes et des métaphores d'Ecclissé est «toujours désastreux» (*E*. 71). Au niveau de la réalité intrinsèque elles sonnent juste:

> « - Bouillant Ulysse, annonça la nymphe Ecclissé, chambrière de Circé, voici le jour, beau comme la nuit» (*E*. 71).

Dans le cosmos et *en* Dieu tout est dans tout et réciproquement. L'épithète «Ravissant Ulysse» (*E*. 71) peut faire sourire l'homme et par conséquent le lecteur, mais d'un point de vue divin il est justifié, car Ulysse, création de Zeus est parfait en soi, *en* sa «beauté de corps».

Intéressant aussi qu'Ecclisé sorte (*should leave*) «A reculons d'ailleurs, par respect pour le héros» (*E*. 73). Une première lecture, au sens humain, donc «mortel», laissera à penser qu'elle a honte, car il est honteux de se donner à tous les hommes quand on est nymphe, c'est à dire femme. Mais qu'on ne s'y trompe pas, en allant à reculons, elle se situe *en* le cosmos, *en* Circé, et suivant le schéma suivant:

MIROIR

...I..............I....................**I**............I..............I..

Circé   Ecclissé   Ulysse   Les compagnons

Et Ulysse conclura (toujours dans l'éclairage des mortels):

> «Ce n'est pas sa faute, pensait Ulysse non sans complaisance, si cette enfant aime les hommes (comme elle dirait) semblables aux dieux» (*E*. 73).

Ils ne sont d'ailleurs semblables aux dieux que dans le plan des dieux, c'est à dire quand le miroir les reflète dans leur intégralité, justifiant ainsi leur appartenance *en* le projet des dieux, aux dieux mêmes.

Giraudoux offre d'ailleurs un commentaire sur le jeu de son propre miroir d'artiste et ceci personne ne semble en avoir jusqu'ici bien compris le sens:

> «...il (Ulysse) reprenait les métaphores d'Ecclissé et les tendait à les rompre : - Voici le soleil qui se lève, se disait à mi-voix le triste Ulysse ; rond et rouge, comme un œil. Le voilà tout jaune avec un halo blanc, comme un œuf. Voici le croissant de la lune qui dépasse de moitié la pente empourprée de la colline comme le crochet de la panthère la babine doublée de nacre. Et moi, Ulysse, semblable à Pénélope, chaque nuit je ruine, sur la couche de Circé, les projets que j'ai bâtis le jour» (*E.* 73-74).

Ulysse cherche en effet à tirer sur la corde dans un jeu à renverser l'ordre du pouvoir. C'est un «triste» sire que cet Ulysse qui cherche à inverser les données. Le soleil n'est plus que selon l'œil qui le remplace, nouveau lieu (subjectif) de la réalité solaire. La lune est palpée par quelque babine de panthère (on ne se laissera pas prendre par la note poétique: «doublée de nacre» (*E.* 74) et Ulysse considère amèrement son incapacité à vivre totalement son projet humain («Et moi, Ulysse, semblable à Pénélope, chaque nuit je ruine, sur la couche de Circé, les projets que j'ai bâtis le jour» (*E.* 74).) L'engagement humain est imparfait, il manque de constance et l'appropriation n'est que partielle, peu sûre dès que la nuit vient et que la connaissance raisonnante, le savoir donc, perd de son acuité. Ulysse s'inscrit bien en porte à faux avec les dieux, avec le cosmos. Il est son projet dira plus tard Sartre qui aurait bien pu puiser sa théorie du conseilleur dans ce texte giralducien si riche. Car quel conseil Euryloque ou Périmède pourraient-ils donner à Ulysse, au «Divin Ulysse», divin ici non dans son humanité, mais dans sa mortalité. En effet «divin» au sens humain n'a rien de divin au sens divin. Autant dire qu'au sens divin, ce «divin» par appropriation des termes de l'engagement humain est bel et bien «humain». Or le lecteur a tendance à oublier que l'«engagement» giralducien demeure dans le non-engagement. Par contre l'être humain choisit ses conseilleurs de telle sorte qu'ils lui donnent raison.

Il sera utile de rapprocher les concepts de «beauté de corps», de «beauté d'occasion» et de «beauté de fonction», présentés plus tard dans *L'Apollon de Bellac*, du paragraphe suivant :

> « - L'homme riche, repartit Ulysse, quelle que soit sa richesse, ne possède que ses propres trésors. L'époux trompé, - que de fois pût défaillir sa vigilante épouse! - ne possède qu'une honte! Mais à l'homme sage appartient, en surcroît de la sienne, la sagesse des autres hommes» (*E*. 75).

La première partie : «L'homme riche...» est lié à la «beauté de corps». Ici l'essence précède l'existence car tout ce qui est l'homme est en lui d'abord. En ce sens, il est lié totalement à l'en-soi qui lui a donné vie.
La seconde partie : «L'époux trompé...», en dépit de la «honte», est une «beauté d'occasion». Il est toujours dans la transcendance, du côté des dieux, bien que sa réalité intrinsèque ait été reniée et bafouée par l'autre.
La troisième partie : «L'homme sage...» se retrouve au niveau de la «beauté de fonction» et du côté de l'humain tout entier, sagesse humaine et non sagesse divine, donc *en* les autres hommes, en le meilleur du conseil des autres hommes, projet de la morale cartésienne *en* la dualité.

Euryloque et Périmède doivent agir auprès d'Ulysse comme s'ils détenaient toute la sagesse du monde. C'est ainsi que le roi d'Ithaque leur dira:

> « O vous deux, rendez-moi ce matin les mots et les images que j'ai glissés journellement dans votre oreille et dans votre œil comme en mes deux tirelires!» (*E*. 75-76).

Il s'agit pour les deux compères de transmettre toute la mémoire du monde, ou plus exactement celle des hommes. Mais rien ne «retombait» de leur «crâne demi-chauve» (*E*. 76) sinon les reflets d'un soleil pâli.

S'il n'est pas dans l'être humain (mortel) de «souvenir» du monde, restent les avis, ce que l'on pense soi, chacun, dans l'éclat de la «beauté de fonction». «Fou qui veut être un dieu!» (*E.* 77) d'ailleurs! Pas de «perception pure», pas de compréhension intégrale, pas de mémoire du vrai! Euryloque et Périmède vont s'entendre pour ne dire à Ulysse que ce qu'il voudrait s'entendre dire:

> «...C'est maintenant qu'il faut sortir votre sagesse que pensez-vous d'Elpénor?
> - Qu'en penses-tu toi-même, astucieux Ulysse? Nous sommes habiles et ne voudrions point t'exprimer un avis qui ne fût exactement le tien» (*E.* 78).

Il faut être de connivence quand on est homme et s'entendre pour que l'avis particulier se confonde avec l'avis général, ou du moins avec celui qui est couramment retenu, celui d'Ulysse donc:

> « - La franchise seule, me plaît, dit Ulysse, je déteste Elpénor. Parlez-moi sans contrainte» (*E.* 78).

A noter que la franchise n'est pas la vérité, que «détester» est négatif et que «parler sans contrainte» c'est s'engager dans la mal-perception et dans l'expression politique. Le Pouvoir met la dialectique du Pouvoir entre les mains des servants du Pouvoir. Ce Pouvoir n'est point Dieu. Il s'agira d'un jugement *a priori,* suivant l'*a priori* d'une subjectivité, celle du Pouvoir, et pas dans la lumière d'une conscience intégrale. La justice d'Ulysse n'est pas celle d'Electre, elle est partisane.

Elpénor est «lâche» (*E.* 79). Le mot est jeté, par du tout hasard. La lâcheté d'Elpénor est d'abord d'ordre linguistique. Pour lui il n'est qu'un sens premier aux mots, son sens original, hors les nuances que peuvent leur apporter les «fonctions» humaines:

«... après dix-huit années, il confond bâbord et tribord; et quand je commande aux rameurs : nagez! chaque fois il se jette à l'eau» (*E.* 79).

Instinctivement donc, Elpénor fait fi des conventions : il est plus pur que les autres rameurs. Il est agi d'une façon *naïve* par les mots. La lâcheté d'Elpénor est d'ordre physique aussi :

> « En fait de lutte, il ne parvient guère à terrasser que la nonchalante Ecclissé» (*E.* 79).

et l'on peut assumer que Giraudoux voit ici un autre élément «naturel»- nature contre condition humaine. De plus Elpénor est «escroc et menteur» (*E.* 79), donc pas du tout acceptable dans un groupe.

Réapparaît la métaphore du castor. Placé en deçà de la transcendance «le jaloux Périmède» tendait «semblable au castor, un solide barrage aux flots de son aigreur» (*E.* 80). Périmède est ainsi défini par la limite de sa subjectivité, et à regarder Elpénor dans l'éclairage du côté de la transcendance dans le jeu du miroir, il apparaît sous un jour plus flatteur. C'est lui aussi qui fut surpris «dans la caverne du Cyclope, enfilant une aiguille pour coudre les paupières du géant» (*E.* 82). Il fallait en effet que le Cyclope continue de voir ses images selon son intériorité de Cyclope, des images authentiques et non celles de la révolte de l'esprit grec.

Elpénor apparaît ici comme *le poète,* un *Mendiant* d'*Electre* avant la lettre, dont l'«engagement» n'est pas celui des compagnons d'Ulysse. C'est une personne humaine dont l'engagement est dans le désengagement. Se plaçant par inconscience, par prescience ou par volonté, hors du groupe, Elpénor sera mis littéralement hors du bateau, ostracisé, le poète!...

Ainsi, aux yeux d'Ulysse il apparaîtra que dans leur éternelle aventure, Elpénor «joua le rôle décisif, et non la destinée. Il est à la source de chacun de nos malheurs» (*E.* 80). Elpénor, quelque soit son sexe, est une femme à histoire. Chacune de ses déclarations est un défi aux dieux, ou plus exactement c'est un défi à la volonté des hommes. Car est dieu ce qui n'est pas «mortel», signe qui caractérise la grande confrérie des hommes. Un poète, un fou...est un envoyé des dieux, quel que soit le mal en point dans lequel le mette la description : «Toujours le premier pour les escapades, le dernier à l'embarquement» (*E.* 81). Elpénor marque un choix incontrôlé pour le rêve et une réticence systématique pour l'«engagement» «mortel».

Très caractéristique aussi l'expérience qui mène Elpénor à être «changé le premier en porc» (*E.* 81), car derrière l'humour concédé par Giraudoux dans le choix de l'animal et qui fait illusion au lecteur, il faut reconnaître l'animal, c'est à dire un être privé d'intellect, donc plus totalement que l'homme en la nature. Très caractéristique encore qu'Elpénor «ne voulut revenir à son état humain qu'après avoir essayé les formes qu'il prétendait intermédiaires, du brochet et du chimpanzé» (*E.* 81). Elpénor apparaît comme étant le fou de toutes les expériences faites dans une région intermédiaire entre la Nature et la raison, région d'autant plus obscure aux êtres intelligents et qui laisse présager l'attrait d'Isabelle pour le Spectre, bien qu'il soit difficile de reconnaître la jeune héroïne d'*Intermezzo* sous les traits du marin Elpénor.

Très révélatrice à ceux qui ont longtemps fréquenté *La Nausée* de Jean-Paul Sartre l'idée qu'Elpénor ait pu forcer le roi d'Ithaque et ses compagnons à «aborder l'Ile des Ciconiens sous le prétexte des nausées? - Le mal de mer à un compagnon d'Ulysse! - » (*E.* 81). Comme si bien avant la lettre, Giraudoux devait placer le centre de gravité du roman de Sartre, non pas dans le pour-soi, comme le fait le philosophe de l'Existentialisme, mais bien dans son contraire, l'en-soi absolu.

Leur vient alors l'idée de se débarrasser d'Elpénor que sa «maladresse» (*E.* 82) condamne:

> «...un génie me dit que la maladresse est plus impie encore dans le royaume des ombres, car aucun bruit ni dommage n'en est la rançon» (*E.* 82).

Cette maladresse se laissera tenter par deux coupes au lieu d'une, tentation à l'immortalité bisexuée: «deux moitiés contraires, l'une claire, l'autre sombre» (*E* 86). Le voici doublement «réincarné».

Elpénor est devenu Diacchus («Il a bu la coupe de Diane et celle de Bacchus!» *E*. 86-87). Il faut probablement voir derrière l'état de surface, derrière la laideur comme derrière la source du rire: «accolés par la peau humaine, greffe infâme, la Pudeur et le dieu du Vin» (*E*. 87). C'est le moment que les compagnons d'Ulysse choisirent pour se débarrasser du poète: «Nagez! cria joyeusement Euryloque» (*E*. 88), et «Périmède à la vue perçante cria des verges: - Elpénor s'est tué, ô Ulysse! Nous entendant appareiller, il s'est jeté de la terrasse!» (*E*. 89). Giraudoux pourra désormais jouer plus facilement avec l'idée d'être et celle de forme qui donnera naissance au chapitre intitulé «Nouvelles morts d'Elpénor». Pour ce qui est de l'instant, d'Elpénor il reste «un cadavre d'homme» (*E*. 89), dépourvu des «essences immortelles» (*E*. 89) et qui va le premier traverser le mur des Enfers.

Bel et bien mort pour un temps, pour l'esprit rationnel, et pour Ulysse donc, Giraudoux n'oubliera pourtant pas Elpénor, puisque c'est son ombre qu'il fera fondre sur Ulysse dès l'arrivée de celui-ci au Royaume des Morts. C'est Elpénor qui communiquera à Ulysse «le mal des ombres» (*E*. 93), véritable vertige, un Elpénor qui dira fidèlement à son roi qu'il vient de précéder:

> « O Ulysse, je suis Elpénor! Sans voile et sans aviron j'ai devancé ton navire»
> (*E*. 93).

Le motif peut paraître bizarre, il est venu pour lui réclamer une sépulture. C'est une apologie qu'il recevra bientôt et qui fera d'un matelot pratiquement inconnu, tout juste mentionné par Homère, et grâce à la connivence de Giraudoux, d'Ulysse et des compagnons de l'Odyssée un *soldat inconnu,* symbole de la grandeur humaine.

Suivant ce qu'avait prévu l'oracle, Ulysse seul survécut, et comme sauvé des eaux après que des funérailles dignes d'un roi aient été célébrées en le nom d'Elpénor, et que le bateau eût été détruit par les tempêtes.

COMBAT AVEC L'ANGE

comment le politique se perd-il dans l'Etre ?

1. On est souvent tenté de voir en Giraudoux un voyeur dont l'ambition est de saisir derrière les choses, les instants ou les êtres, la sur-chose, le sur-instant ou les êtres dans leur sur-être, un voyeur qui transcende ce qu'il voit pour pénétrer l'essence, un mage, un dieu, un voyant.

Cette aptitude n'est nulle part aussi évidente que dans *Combat avec l'ange,* Grasset 1934, un ouvrage où il se mêle avec toutes les pudeurs de l'impudeur à la nature de ceux qui sont là sur une scène pour analyser la durée et le temps humain dans leurs relations les plus étroites.

Nous serons amenés ici à faire des références à un ouvrage tout aussi subtil bien que plus didactiquement philosophique, *La Présence totale,* de l'essentialiste Louis Lavelle, Aubier 1934. La concordance des dates n'est peut-être qu'un hasard, mais il semble que Giraudoux et Lavelle saisissent l'être dans une mesure unique rappelée vingt-cinq ans plus tard par le Genevois Pascal Ruga, auteur romand mal connu qui pénètre d'emblée et presque sans le savoir dans le même ésotérisme que ses deux grands aînés. C'est dans ce même esprit d'unité que nous tirerons des mots d'*Au temps des anges*[1]. - dont

---

1. Pascal Ruga, *Au Temps des Anges,* Editions Etre Libre et Aux Sources du Présent, Genève et Bruxelles, 1976. Les chiffres (*TA*) indiqueront dans cette analyse les pages de cette œuvre auxquelles nous ferons référence.

l'auteur attiré dans ses débuts par l'anarchisme est autodidacte et disciple du Zen - autant de facettes, de virtualités en quête d'une même réalité : l'éternité.

Car il ne faut pas s'y tromper, cette notion est au cœur de la pensée de Jean Giraudoux. Le chapitre dixième de *Combat avec l'ange* ne laisse aucun doute à ce sujet : Trois personnages clés : Jacques (Giraudoux), Maléna (la femme absolue - Anima) et Brossard (Président du Conseil et Père - le politique appartenant au temps humain, et le mourant procèdant de la durée):

> «Tous les éléments d'une vie complète étaient rassemblés là, entre ces trois êtres désintoxiqués de la parole; l'amitié, l'admiration, l'amour; d'une vie complète dégagée seulement de ce qui gâte les vies les plus parfaites : de leur réalisation» (*CA*. p. 311)[2].

Giraudoux s'en référera plus loin au «corps astral» (*CA*. p. 313) de l'illustre Brossard mourant. C'est lui, en effet, qui est le lieu de l'unité, loin du corps physique qui n'est que sa réalisation. Paradoxalement c'est ce corps physique en situation qui intéresse les hommes. Pas Giraudoux qui dit des médecins de Brossard: «Le corps astral les déroutait» (*CA*. p.313). Lui ne remet rien en question sinon la valeur de la parole dont il faut être «désintoxiqué» pour être loin de la communication formelle. La langue est quand elle n'est pas. Plus tard, Pascal Ruga écrira qu'«un mot vivant est un mot qui se nie» (*TA*. p. 40) et il étudiera la relation du mot à l'homme:

> «Le désir de s'arrêter à un mot n'est pas autre chose qu'une peur, qu'un besoin de sécurité. L'homme préfère exploiter l'affect qu'il identifie à un mot, afin de se sentir vivre en fonction d'une sensation, plutôt que de se perdre hors de son cher moi» (*TA*. p. 40).

---

2. Jean Giraudoux, *Combat avec l'ange*, Grasset, 1934. Les chiffres (*CA*) indiqueront dans cette analyse les pages de cette œuvre auxquelles nous ferons référence.

Or dans *Combat avec l'ange,* du jour où dans l'esprit des hommes Brossard est condamné, il est mort déjà, et le mot mort offre un sens nouveau à la réalité physique de Brossard «Ils s'étaient préparés un Brossard immortel contre lequel le pauvre Brossard vivant était le seul obstacle» (*CA.* p. 312). Il faut assumer dans toute interprétation ésotérique du monde la dualité corps astral/corps physique, autant que signifié/signifiant, leur possible combinaison en l'unité. C'est celle-là même sur laquelle débouche *Combat avec l'ange:* dualité entre la vie et la mort. Mort physique en le corps physique, certes, mais également vie spirituelle en le corps astral. L'artifice giralducien conduit à étudier cette situation avant la fin de Brossard:

> «Mais que tous ces gens-là croient que Maléna était près d'un agonisant, quelle preuve d'ignorance! Maléna n'avait rien à voir avec la mort de l'illustre Brossard. C'est à la vie de ce Brossard dégagé de gloire terrestre et libéré encore des obligations du néant qu'elle se consacrait en ce moment» (*CA.* p. 312).

Le néant étant ainsi rejeté avec toutes ses virtualités physiques, Giraudoux le voyeur, le passe-murailles, pénètre dans la vie totale de Brossard grâce à cette fille extraordinaire qu'est Maléna. Retour de Maléna à sa nature, en sa nature, loin du *moi,* généralement lié suivant les conditions Jungiennes au corps physique, loin du *soi* total, ce que nous verrons être l'Etre chez Louis Lavelle et qui est absolu : «L'absolu est antérieur à la pensée individuelle, mais il la fonde et c'est pour cette raison que celle-ci est relative» (*PT.* p. 79).

Le jeu giralducien consiste à dépasser cette pensée même dans un avant de la pensée qui permet à la totalité de l'être de s'exprimer comme si elle ne cessait pas d'être en s'exprimant. Les trois personnages sont de plain-pied dans cette totalité, cette émotion, cette intimité. L'autre côté de la mort, la vie, et pourtant pas celle physique, mais l'autre parfaite: «Libéré de ce drain, notre corps entier avait retrouvé sa voix: le silence. Le silence avec son moyen le plus aigu d'expression, l'absence de gestes» (*CA.* p. 315). Libération de la parole qui lie au physique (phonologie, etc...), qui n'est que structure et point réalité. Comme l'écrit Pascal Ruga: «Les mots ne peuvent exister que dans la relative succession qui les révèle à chaque instant. Ils coexistent tout en se dépassant. Ils sont une danse. Seul le poème spontané (toute poésie authentique d'ailleurs est spontanée, c'est-à-dire non analytique), peut les libérer de leurs tendances à s'agglomérer autour d'une idée. Un mot isolé, abandonné à sa dogmatique, ne peut être qu'un mot sans contenu réel, un mot mort» (*TA*. p. 39). Voilà pourquoi l'instant privilégié choisi par Giraudoux est hors du tangible des mots, bien qu'il utilise des mots pour le suggérer, véritable instant poétique de l'a-pensé giralducien. En s'inscrivant, la parole tue l'être qui la somme d'exister, et ce qui importe à la poétique giralducienne, autant qu'à la stratégie de *Combat avec l'ange,* c'est justement d'être sans mots (sans maux), les troix personnages appartenant «à la race de ceux qui ne parlent pas» (*CA*. p. 315), de ceux qui *sont* sans plus:

> «Nous étions submergés par cette vérité que le destin de l'humanité n'est pas la parole. Nous étions reconnaissants à cette heure qui avait remis trois humains dans le silence comme on remet trois poissons dans l'eau» (*CA*. p. 315).

Le lieu de ce silence est la notion qui paradoxalement est aussi le lieu de la parole non exprimée : «On les voyait se parler sans avoir recours à cette traduction informe qu'est la parole!» (*CA*. p. 315)! Ambition qui consiste à sortir de la parole parce qu'elle est inutile *en* la nature: «Le fait qu'elle était jeune, belle, généreuse était la parole de Maléna» (*CA*. p. 315). Maléna en cela, du fait qu'elle est, est toute action, elle est succès, elle est joie, elle est totalité et son corps physique est par ce silence *en* son corps astral: le lieu de l'être.

Le silence est ce moment où le temps prend esprit (comme on prend corps) en la durée. Giraudoux parle de «notre mode de langage» (*CA*. p. 316), de ce moment où «Nous étions égaux dans le temps; aucun de nous trois ne mourait avant l'autre dans ce fragment de vie heureuse» (*CA*. p. 316). Il est rare d'être égal dans le temps - cela est d'ailleurs impossible, à moins que le *temps* soit *durée* hors du corps.

Cet état est celui qui inspire Giraudoux, le mage. Toute cette *anima* que Jacques retrouve au moment où Brossard l'entr'ouvre en contemplant le silence, Maléna:

> «Pour sa mère, je ne vois pas qui a pu l'être, mais c'est qu'elle n'a pas eu de mère. C'est ma fille engendrée sans péché : je vois maintenant à quoi tendaient tous les efforts de ma vie : à me donner une fille. La paix, c'est une fille» (*CA*. p. 317).

Une fille
La Paix

l'ambition de Brossard se concrétise. Cette fille *est* l'expression (non exprimée) de son idéal, la Paix, mais elle est plus car elle est, avant ce que la Société des Nations pourrait en faire, absolu et tout *anima:*

> «Je vois maintenant que ce n'était pas la paix, mais ma fille qui était engendrée, cette fille qui est là. Un seul regret : je ne sais pas son nom. Vais-je le lui demander? (...) - Je m'appelle Maléna, disait le silence de Maléna» (*CA*. p. 318).

Ambition poétique que l'acte voulu, pensé, de cet *animus* : la Paix n'est pas si elle n'est pas, si elle ne peut pas être la femme totale. Femme totale ou femme fatale, les deux aspects d'un même phénomène, du positif au négatif, de l'être au néant:

> «par ce silence je peux te donner, et parce qu'elles sont vraies, toutes les assurances de bonheur du monde qui dans la voix auraient été ce qu'elles sont : des mensonges» (*CA*. p. 318).

Le silence est vérité, il est amitié, il est admiration, il est amour: et Giraudoux fait parler le silence, cet avant d'avant la parole qui se sublime dans le sourire de Maléna, alors que Jacques «se retrouvait avec le Président dans une autre existence» (*CA*. p. 320). On peut difficilement être plus dans l'Etre en même temps que dans le non-être. Le premier est vie ,le second néant, l'un et l'autre ensemble. Giraudoux le mage participe du corps astral de Brossard en *anima* retrouvée.

2. Car *anima* s'était perdue et la raison des incarnations est de permettre à l'homme, ou plus exactement à l'âme «un travail qui a pour but l'union avec le *Soi Supérieur*»[3], c'est-à-dire d'un retour à la durée, loin de l'espace-temps humain :

> «L'Ame est placée ici-bas pour acquérir de l'expérience par l'intermédiaire de ces véhicules, instruments fournis à chacun au moment de sa naissance et qui sont bons, mauvais ou quelconques selon les résultats que nous avons tirés des expériences passées qui les ont édifiés. Tels qu'ils sont, c'est avec eux que nous devons travailler, avec eux ou pas du tout» (*CR-C*. p. 479).

Il est important de se saisir de cette conception d'initiés pour tirer avantage au maximun d'une lecture de *Combat avec l'ange*, livre plus que tout autre lié à un objectif final, ici la rédemption de Brossard et l'union Jacques-Maléna à un niveau qui est le leur, parfait unisson: Alter-Ego. Au moment où le Président découvre que son illumination de la Paix, est en fait la féminité dans toute sa grâce qu'il recherche, la transmutation a lieu et il est bien-heureux.

Quant aux autres hommes, ils continuent de vivre! «L'individu se laisse aveugler par l'éphémère et l'illusoire», écrit Max Heindel (*CR-C*. p. 478). La mort ainsi vue n'est qu'un moment et non pas un passage. Ainsi ces gens qui viennent signer la mort de Brossard:

> «Il semblait s'agir seulement pour eux de s'inscrire sur une liste de survivants, et, plus ils croyaient à la mort de Brossard, plus lisiblement ils signaient, plus fort ils croyaient à leur propre vie» (*CA*. p. 322).

---

3. Max Heindel, *Cosmogonie des Rose-Croix,* Association Rosicrucienne, 10ᵉ Edition de langue française, 1974. Les chiffres (*CR-C*) indiqueront dans cette analyse les pages de cette œuvre auxquelles nous ferons référence.

L'écriture est comme la parole, il faudrait s'en «désintoxiquer». Mais les hommes s'y accrochent, en sont les prisonniers. De toute évidence le signe linguistique n'est pas celui qui retient le plus l'initié Jean Giraudoux. Pour lui les signes sont naturels, loin du «protocole» (*CA*. p. 322). De l'un à l'autre, il y a cet écart qui ressemble au destin et dont parlera très bien Pascal Ruga: «L'image du destin qui plus tard habillera notre moi n'est pas encore à demeure en nous» (*TA*. p. 27).

Giraudoux voit le signe absolu dans la collaboration du moi et du soi *en* soi. Le destin consiste à ramener des signifiés à fondre leur équivalence en la forme et la transcendance. L'évènement qui avait éloigné Jacques de Maléna, les ramène l'un à l'autre sur le même pont, action involue, spontanée, qui procède d'une volonté éternelle - symbolique aussi du pont -:

> «Et le destin termina notre aventure comme il se plaît à clore les aventures de ceux qu'il estime. Il soignait sa conclusion et il y mit du style : c'est sur le pont même où j'avais perdu la vraie Maléna qu'il me fit la retrouver» (*CA*. p. 321).

Le pont joue dans la relation Jacques/Maléna un rôle analogue à celui de la Paix dans la relation $\dfrac{\text{Femme}}{\text{Paix}}$, un signifiant qui signifie totalement, lien aussi entre deux êtres, qui veut la barre d'un rapport essentialiste $\downarrow \dfrac{S}{s} = 1$. La «vie» humaine n'a plus prise sur l'Etre et c'est Lui qui vit.

Il est de bonne politique aussi de faire discuter des êtres d'intérêt secondaire, Gonflemol et Carlos Pio, de la race des canards argentins: un autre moyen de raconter que les relations humaines s'accrochent à l'espace-temps, et qu'à cause de cela elles sont insignifiantes (*small talk*). En effet, écrit Louis Lavelle, «Le temps est purement subjectif» (*PT*. p. 167), c'est à lui que s'accroche l'imperception ou plus exactement la mal-perception; la conversation qui est *a-communication* vit de ces signes linguistiques incomplets ou plus exactement arbitraires loin du *Réel*. En effet, le temps «est contenu dans le présent au lieu de le contenir» (*PT*. p. 167). Il faudrait s'échapper vers la durée pour «coïncider avec l'être totalement» (*PT*. p. 175) De cela nous sommes incapables et nos paramètres sont au plus nationaux et l'on sait le rôle joué par la France comme point de référence à l'esprit radical-socialiste de l'entre-deux guerres, comme certains conciles le seront pour la catholicité. Mais il s'agit là d'un simple palier dans la perception. Il faut apprendre à dépasser «Les religions de Race», écrit Max Heindel dans sa *Cosmogonie des Roses-Croix* (p. 480), même si elles ont eu leur rôle dans l'évolution percevante de l'humanité. «Premier secours» explique-t-il. La deuxième aide dont l'humanité dispose actuellement étant «La Religion du Fils» (*CR-C*. p. 481) ajoutant que «La troisième aide que recevra l'humanité sera la religion du Père» (*CR-C*. p. 482), ainsi:

> «Les Religions du Saint-Esprit, ou Religions de Race, ont été destinées à faire progresser l'humanité par l'effet d'un sentiment de parenté limité à un certain groupe : famille, tribu ou nation» (*CR-C*. p. 482).

Giraudoux dépasse ici le premier principe, qu'il reprend et souligne dans d'autres livres et en particulier dans *Pleins Pouvoirs* où il annonce les théories évolutives du nationalisme gaulliste. Le mage veut plus, liberté et vérité en une révélation de pureté qui sera amour, dépassement de la fraternité universelle au simple niveau des structures de la SDN, en la Révélation du silence:

> Quelle sécurité au milieu de ce bavardage! Maléna se sentait mieux dissimulée par ces paroles d'enfant que par un masque» (*CA*. p. 326)!

Derrière ce masque est l'Etre, derrière cette «Marseillaise du néant» (*CA*. p. 328), l'Alter-Ego:

> «il se trouvait qu'à nous deux cet instant imposait seulement ce qui devrait être de règle chaque fois que des amants se sont rejoints après avoir vaincu les embûches qu'ils se sont tendues à eux-mêmes» (*CA*. p. 329).

Se retrouver. Se retrouver dans l'instant qui hors de l'espace-temps devient *durée!*

> «Pendant quinze secondes encore, ne la prends pas dans tes bras, ne l'étreins pas, laisse vos existences conserver leur distance. Tous les êtres en fait sont confondus» (*CA*. p. 331).

Pas dans l'espace-temps, bien entendu, cette égalité, mais dans la durée, et c'est cette dichotomie qu'il faut voir, pour saisir la vie et pour comprendre Giraudoux:

> «C'est par persuasion que nous ne voyons pas confondus les uns dans les autres les première classe et les seconde; les patronnes en robe de chambre et les concierges, toujours absentes d'ailleurs de leur loge, les noyés et les poissons. Profitez de la seule minute de votre vie où vous aurez été séparés» (*CA*. p. 331).

Le décalage a lieu dans l'espace-temps, le temps d'une incarnation, mais pas en l'absence de temps qui est le lieu de la différence. Comme si d'un point de vue politique (espace-temps) l'objectif était de diminuer les différences pour atteindre une égalité dont le lieu est ailleurs, a-différence qui ne peut être atteinte que du jour où l'espace-temps se dissipe en la durée. C'est pour être incapables de voir clairement les qualités de ces deux dimensions que les hommes s'entre-tuent au nom de la politique. Giraudoux a bien deviné tout cela. Autre preuve s'il se fallait de considérer Giraudoux le politique en Giraudoux le métaphysicien afin de voir clair en son œuvre. La seule minute de la vie où l'Alter-Ego sont séparés peut être la «vie» entière en le corps physique, loin du corps astral qui est coïncidence avec l'Etre et qu'une lecture approfondie de *La Présence Totale* de Louis Lavelle permettrait de faire saisir à tout Giralducien en quête de vérité sur l'essentialisme de Giraudoux:

«C'est là une insinuation complètement déraisonnable, et nous vous le prouvons par le raisonnement que voici : ceux qui ne viennent pas au monde ne connaissent pas les malheurs de la vie, ceux qui viennent au monde en connaissent les joies; pour les uns et pour les autres l'opération revient donc sensiblement au même, et ce qu'il convient de dire c'est que la Providence sait tenir la balance parfaitement égale entre l'être et le néant...» (*CA*. p. 332).

Son essentialisme passe d'ailleurs par une cosmogonie:

«la ville reprit sa voix, et notre couple, avec le bonheur, son propre silence» (*CA*. p. 332).

Le silence du couple. Qui saura jamais combien il l'a désiré, Jean Giraudoux. Combien il aura dû souffrir de cette seule minute qui l'aura séparé d'elle. C'est grâce à cette minute qu'est née l'œuvre du poète, aspiration au dépassement de l'arbitraire du signe et des signes. Grand politique et poète de l'humanité, Jean Giraudoux, né à Bellac en 1882...

3. Dans un ouvrage intitulé *La Kabbale du Feu*[4] A.D. Grad s'interroge sur le rôle de la femme dans la tradition kabbalistique. Il note qu'il est écrit que «L'Eternel organisa en une femme la côte qu'il avait prise à l'homme, et l'amena à l'homme» (Genèse, II: 22), qu'«Au commencement Dieu créa», «les cieux», et qu'une tradition veut que les mots «les cieux» désignent le même mystère qu'«et l'amena à l'homme» (*KF*. p. 45).

Cette réalisation semble utile à la compréhension du rôle joué par la femme dans la création giralducienne. Il s'agit d'ailleurs pour l'auteur de *Combat avec l'ange* d'un pieux désir de trouver en la

---

4. A.D. Grad, *La Kabbale du Feu*, Dervy-Livres, 1977. Les chiffres (*KF*) indiqueront dans cette analyse les pages de cette œuvre auxquelles nous ferons référence.

femme un principe de perception -virginité cosmique - qui est l'un des paramètres de son existence littéraire. La féminité de Maléna est avant sa matérialisation dans un corps qui n'ajoute à elle rien de mauvais. C'est dans la composée Giraudoux de voir en la féminité une sorte d'idéal en même temps que le refus de reconnaître une dualité (bien-mal) chez l'homme. Jacques voit l'action se développer, lui qui est à la fois analyste-narrateur (non pas juge) et partie dans l'affaire. Il voit deux principes en la femme (le bien et le mal) qu'il veut sauver de la Chute pour refaire le monde. Principe de paix (en soi édénique): la Société des Nations ne peut être, partant le bonheur, que si Maléna échappe à la Chute. La féminité doit demeurer vierge en la cosmicité - état céleste de pré-virginité - et il dépend de l'homme de préserver cette virginité qui est aussi fidélité au sein du couple. Le couple Jacques-Maléna est donc de prime importance, en situation édénique d'abord, puis soumis aux tiraillements de la conscience de Maléna, sans que Jacques ne fasse autre-chose que d'observer les variations comme un médecin qui se contenterait de surveiller la température de sa malade, pour n'intervenir qu'au moment de l'accident final. Cet accident est une séduction finale: principe négatif apporté par l'homme qui n'est pas destiné à Maléna.

Le couple est en Jacques, couple parfait que Maléna cherche à recréer autrement (action négative par rapport à elle) en mettant dans les bras de Jacques celle qu'elle croit le mieux lui convenir (Gladys: la plus belle). Or dans sa prédestination le destin ne veut pas de ce couple, mais bien du couple Jacques-Maléna. Et qu'importe si la jeune femme n'est pas la plus belle : *she is the one who fits the bill*. Maléna sera sur le point de succomber sous l'étreinte de Carlos Pio. Grâce à l'ingéniosité d'une petite fille, Baba (toute la Nature), le sacrifice n'aura pas lieu : la vérité de Maléna sera sauve.

Motif de *Combat avec l'ange:* l'analyse des tentations présupposées de Maléna dans cette période d'incroyance en ses propres valeurs du bien. La tentation n'est pas celle de la chair, elle est bien plus liée à une irrésolution qui est a-perception de la perception pure.

Maléna est la perfection. Sa modestie la mène pourtant à remettre en cause ce principe sous prétexte que le monde qu'elle va côtoyer est mal fait et qu'il souffre. Elle ne réalise pas que c'est parce qu'elle *est* qu'il y a un espoir non seulement pour Jacques (le fils), pour Brossard (le père), mais pour elle-même, Maléna, et pour la création. Sa tentation est celle d'*exister* au lieu de demeurer (*être*). Manque de confiance en elle-même, dirons-nous, dû en réalité à l'influence qu'exerce sur elle le *paraître* qu'elle interprète en *être* parce que pour elle qui est pure, les formes ne peuvent que signifier totalement leur essence: ainsi la beauté.

Suivant cette conception seule la beauté parfaite peut matérialiser la bonté totale. Or les formes du monde sont trompeuses. Elles ne signifient pas ce qu'elles paraissent être, et *exister* n'est pas *être*. Comment faire coïncider corps physique et corps astral? C'est l'une des préoccupations de Giraudoux. Ce faisant il étudie la scission du parfait, comment Un devient multiplicité et combien le multiple est atrophié et a-perception de la Totalité.

Dans *La Kabbale du Feu* A-D. Grad rappelle que «l'esprit du mal s'est attaché au principe femelle» (*KF*. p. 46), qu'à lire comme nous l'avons fait «en une femme» signifie que Dieu a uni le feu et le Hé. Il est en effet écrit que «C'est du Nord que le mal vient» (Jérémie, I: 14) et que «le Nord s'empresse toujours autour de la femelle et s'attache à elle» (*KF*. p. 46).

En Maléna Giraudoux ne laisse pas le temps au mal de s'attacher assez pour qu'il l'imprègne. Jacques sera intervenu au moment critique. Ainsi «L'enseignement zoharique nous apprend que le mot «créa» est écrit avec deux Yod parce que Dieu créa l'homme avec deux esprits, l'esprit du bien et l'esprit du mal. L'un correspond à l'eau et l'autre au feu (…). Et c'est lui qui créa l'homme composé de mâle et de femelle» (*KF*. p. 46).Le Nom complet est donc fait d'eau et de feu. A-D. Grad implique que «Le début du commentaire zoharique de la section I: 179 a fait d'ailleurs remarquer que l'esprit du mal précède toujours l'esprit du bien. Aussitôt que l'enfant vient au monde, l'esprit tentateur s'attache à lui, (…) l'esprit tentateur émane du côté des ténèbres et n'a aucune lumière qui lui soit propre…C'est ce «roi vieux et insensé» dont parle l'Ecclésiaste (IV: 13). Il s'introduit dans l'homme avant l'esprit du bien, pour le gagner» (*KF*. p. 47). Ainsi Maléna, qui pourrait bien être le produit d'une génération spontanée sera introduite à la connaissance - connaissance avec l'esprit du mal - qu'il lui faudra ensuite payer: «Et quand, plus tard, l'esprit du bien arrive, il se heurte aux préjugés que l'homme a reçus de l'esprit du mal» (*KF*. p. 47). Ce seront ces préjugés qui empêcheront Maléna d'*être* encore tout-à-fait à la moitié du livre. Ses yeux se seront couverts de peau et seule l'expérience lui permettra de les dessiller. Mais il faudra des événements particuliers et une réfléxion profonde puis la touche du destin pour que l'unité se rétablisse en la perception de Maléna. «L'esprit du mal, qui alimente le principe de la matière, surgit du *tohou,* que la Haute Kabbale assimile justement au «feu de Dieu» (*KF* p. 47).

Giraudoux permet à une Maléna double de se dessiner dans son livre. L'esprit du bien et l'esprit du mal ou «l'autre côté»: Le principe femelle est utile à l'esprit du bien parce qu'il le fait valoir (*KF*. p. 46). C'est cette transmutation qui intéresse Giraudoux. Il croit que la femme en laquelle «l'autre côté» n'a pas pu se développer est la personnification même de l'esprit du bien. C'est tout au long de son œuvre ce qui l'attache à la femme, non en tant qu'existante, mais en tant qu'être. Le ciel c'est Maléna. Mais si le ciel devait perdre sa saveur…alors il n'y aurait plus de solution métaphysique possible à l'idéal politique. A-D Grad écrit que: «Pour arriver à la clarification complète de la matière, il a fallu que l'Esprit Saint, qui procède de l'Eternel, planât sur la face des eaux (I: 16 a)» (*KF*. p. 50). Principe d'eau et de feu qui coïncident et s'équilibrent dans un rapport d'unité.

Chez Maléna corps astral et corps physique coïncident et en ce principe l'âme s'est incarnée conservant toutes les qualités de son absolu, moins la connaissance de ces qualités. Il en va un peu comme si Eve ne savait pas qu'elle était nue: c'est un point de départ non négligeable, car c'est là que Brossard, Jacques et la jeune femme se retrouveront en fin de livre dans l'éternité du moment privilégié qui les situera hors du temps. Demeure le principe féminin dont Maléna nous semble être l'incarnation, comme qui dirait après la Chute, mais avant l'arrivée sur une terre existentielle. Les reflexions qui vont suivre résultent d'une 'lecture des derniers chapitres de *La Kabbale du Feu*. C'est nous semble-t-il, selon l'acceptation de ces principes qu'une compréhension plus avancée de Giraudoux s'impose aujourd'hui loin du rationalisme dont a dû procéder son éducation. Il est difficile ici de dire si Giraudoux souscrit à l'imaginaire, au rêve, à l'intuition ou a l'initiation. On sait pourtant son affection pour Novalis et les mystères. Toute chose est d'ailleurs à l'homme un mystère et c'est le mystère de chaque manifestation qu'il faut déchiffrer. Quête sans fin pour l'homme. La logique présentée ici est un combiné d'une psychanalyse du feu, d'un principe essentialiste déjà soutenu sous la forme d'une thèse de doctorat[5] et d'élément de kabbalistique judéo-chrétienne.

Le principe qui anime Maléna est triple. C'est celui du feu. La logique dont procède la pensée giralducienne est la Loi: c'est le thème de tous ses livres, section par section, véritable entreprise d'exploration cosmique[6]. «Le «mystère» de la Loi, écrit AD. Grad, est appelé «lumière» » (*KF*. p. 68). Le personnage et l'auteur vont s'en rapporter à elle, Maléna d'une façon matérielle et inconsciente, l'auteur selon un processus raisonné, car c'est de la féminité que procède la rédemption en la lumière: principe purificateur par le feu. Selon la tradition le feu de l'autel doit brûler sans s'éteindre (*Lévitique* VI: 5): «Pour éloigner le feu de l'esprit tentateur, il est indispensable de faire brûler un feu du côté droit de l'autel» (*KF*. p.62).

Posons ce feu par rapport au rapport essentialiste $\dfrac{S}{s}$. A regarder

---

5. Charles P. Marie, «Vers une didactique du rêve. De Bergson à Bachelard. Essai de critique essentialiste», 599 pp.*Ph. D. thesis,* University of Hull, 1978.
6. Voir référence au feu d'artifice,, in Charles P. Marie, «L'intangibilité de la réalité humaine chez Jean Giraudoux», 214 pp. *M.A. thesis,* University of Exeter, 1971.

l'axe du rapport linguistique en face, ce feu est en le signifié, soit:

$$\frac{\textbf{Feu}}{\textbf{?}}$$

«Le feu consume le feu; le feu de l'autel consume un autre feu» (*KF*. p. 62). On sait par ailleurs que «l'homme qui pèche contre son maître brûle lui-même par la flamme de l'Esprit tentateur. L'esprit tentateur émane du côté de l'esprit impur» (*KF*. p. 62). Il faudra l'un des feux pour neutraliser l'autre, d'où la nécessité pour le premier d'être entretenu sans interruption - c'est le travail des prêtres -. Deux feux, donc, le feu du bien (signifié), le feu du mal (signifiant) en la chair et leur neutralisation. Soit:

$$\downarrow \frac{\textbf{Feu}}{\textbf{Feu}} = \textbf{1.}$$

L'holocauste sanctionne la fin de l'arbitraire du signe : le feu d'Isaac prend ainsi forme et les deux principes neutralisés en l'unité dans un rapport $\dfrac{\text{Dieu}}{\text{Abraham}}$, $\dfrac{\text{Dieu}}{\text{Homme}}$,[7] qu'il faudra chercher à percer plus avant, mettant en relation le mystère et la matière dans leur réaction créatrice, le mystère du tout étant probablement caché derrière l'en-soi alors que son image intègre le pour-soi. Une dimension manque, celle qui permettra la compréhension du «tétragramme sacré» (*KF*. p.70). Là où est le feu sacré: tout élément virtuel formel vivant dans le feu de l'esprit, présence vivante du signifié et du signifiant unis et coïncidant dans la lumière.

Mais de quoi cette lumière procède-t-elle donc? Tout d'abord, qu'on aborde le feu du côté signifiant et s'impose ce que A-D. Grad nomme «La Rigueur» («autel d'airain»), de l'autel ce qu'il appelle

---

7. Question débattue in Charles P. Marie, «Les Possédés de Transcendance, Maurice Clavel - Pierre-Henri Simon - Paul Claudel», *Claudel Studies* Volume III, Number 1, 1976. U.S.A.

«Clémence» («autel d'or»). Un troisième autel se dessine qui permet la relation des deux autres et que les linguistes illustrent (sans le savoir) par la barre du rapport du signe alors qu'en réalité, cet autel est un lien de perception vertical (et non horizontal) entre le signifié et le signifiant: c'est le mystère de la transparence - «l'autel intérieur» - :

> «L'autel intérieur est appelé «La voix douce», «autel de YHWH» (...) L'autel dressé par Moïse était l'autel intérieur, et c'est pourquoi il l'appela «autel à la marque de YHWH» (...) Lorsque les prêtres offrent les sacrifices sur l'autel, la Rigueur est changée en Clémence» (*KF*. p. 65).

A la fois pardon et pureté dans la transcendance. Ainsi s'établit le couple parfait :

> «Il est écrit dans le *Raaïah Me'hemnah* que le mari et la femme forment le feu qui monte et qui descend, le feu saint de l'autel, le feu sacré qui descendait dans le Saint des saints, le feu de la Chekhinah, le feu céleste appelé «Trône de Miséricorde» et le feu d'ici-bas appelé «Trône de Justice» ou *Malkhouth* est le feu qui monte, et *Binah* est le feu qui descend. Le Tétragramme sacré est la Colonne du milieu qui les unit» (*KF*. p. 70).

Une série de rapports se succèdent ainsi dans leur analogie avec la relation saussurienne $\downarrow \dfrac{S}{S} \uparrow$:

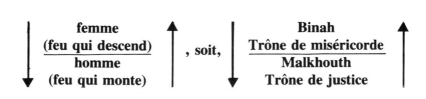

ceux-ci étant transcendés par le «feu sacré qui descendait dans le Saint des saints». Soit la flèche retenue par la formulation essentialiste qui indique sinon exactement l'origine du sens qui demeure mystérieuse $(\left|\dfrac{S}{S}\right. = 1)$, du moins l'orientation et la relation de transcendance de l'objet

116

premier à l'image virtuelle, du signifié au signifiant dans une synthèse rédemptrice d'unité et de joie. Cette flèche symbolise dans l'algorithme essentialiste cette «Colonne du milieu qui les unit» (*KF*. p. 70).

Cette découverte est capitale, car elle relie le rationnel de mes démonstrations passées à l'ésotérisme des démarches kabbalistiques. L'Université se voit ainsi ramenée à son principe métaphysique antécédent. Il s'agit d'ailleurs du principe chrétien de Père, de Fils et de Saint-Esprit dans la relation toujours essentielle de :

$$\text{Saint-Esprit} \dashrightarrow \blacktriangledown\!\!\downarrow \frac{\textbf{Père}}{\textbf{Fils}} = 1.$$

Cette démarche, croyons-nous, est celle adoptée par Giraudoux dans *Combat avec l'ange*. Elle s'y dessine suivant l'expression:

$$\text{Maléna} \dashrightarrow \blacktriangledown\!\!\downarrow \frac{\textbf{Brossard}}{\textbf{Jacques}} = 1.$$

Cette identification du principe féminin à l'Esprit-Saint (au Saint des saints) surprendrait s'il n'y avait pas d'autres religions primitives et si les Kabbalistes eux-mêmes ne lui attachaient pas la même importance. Ainsi cette *note* qu'A-D. Grad apporte à sa mention du Saint des saints: «Les Sitré Torah («Secrets de le Loi».) distinguent «un feu sacré qui est femelle» et «un feu étranger» dont l'Ecriture dit: «Et qu'il n'entre pas en tout temps dans le sanctuaire» (*Lévitique*, XVI: 2) (*KF*. p. 70). Il faut bien saisir que si le principe *Hé* est à la fois féminin et négatif avant qu'il soit canalisé il existe à la fois un même mystère entre «les cieux» «et l'amena à l'homme» quand les écritures parlent de la femme, qu'il y a deux *Yod* et non point un seul relié au *Yé* (esprit du mal), en réalité une sorte de sur-Yod primordial:

«Les Maîtres de la Loi expliquaient que l'holocauste montait au plus haut. C'est la sephirah *Binah*, c'est le *Hé* qui se manifeste sous la forme du Yod, Fille unique. C'est à quoi font allusion les paroles de l'Ecriture : «Et la vision de la gloire de l'Eternel était comme un feu dévorant» (*Exode*, XXIV : 17). C'est le feu qui absorbe toutes les eaux de la Loi, qui dévore tous les sacrifices et les prières. Le bois sec, c'est le sens littéral de la Loi, et le bois vert, c'est le sens caché. Les cinq prières du Jour du Pardon correspondent à ces cinq feux. Les dix jours de pénitence correspondent au *yod* et les cinq abstentions du Jour du Pardon correspondent au dernier *Hé* du Tétragramme sacré» (*KF*. p. 63).

Ce second *Yod* est intimément lié dans le secret de la Loi au Saint des saints. C'est là qu'il faut chercher comme le fait Giraudoux, le Tétragramme sacré. Il s'agit alors du feu qui comme le silence est cristal et vie. A-D. Grad rappelle que les Kabbalistes distinguaient trois feux, celui du mal, celui du bien et celui du Saint des saints: «Le *Raaïah Me'hemnah* fait observer que «le feu servant à l'autel le jour du Sabbat différait du feu des autres jours. Il y a un feu composé de bien et de mal, de pur et d'impur, de saint et de profane. Et il y a un autre feu composé uniquement de bien, de pur et de saint. Et il y a enfin un feu qui constitue le Saint des saints» (*KF*. p. 65).

Cette distinction est essentielle. «On doit faire une distinction entre le saint et le Saint des saints» (*KF*. p. 65), entre le signifié (en-soi) et ce que Jung a appelé archétype...si c'est bien de cela qu'il s'agit, quoiqu'on envisage un principe plus total encore qui pourrait être matière et *Fille unique* du jour où la femme est Etre transcendé ou comme Giraudoux la présente, l'Eve d'entre la Chute et l'Existence, mais à un stade antécédent. Cette thèse est évidemment très osée, mais nous cherchons ici à expliquer Giraudoux dans son principe d'attraction par la féminité. Misogyne vis-à-vis du premier *Yod,* justement parce que c'est se fondre dans le second qu'il ambitionne, et c'est une purification:

>«La purification de l'âme par le feu (de la Rigueur) relève du côté gauche, tandis que la purification par l'eau relève du côté droit. Les grandes impuretés dit le *Zohar* (III : 153a), doivent passer par le feu, mais pour le juste l'eau suffit. La double purification par le feu et par l'eau, est réservée à ceux qui étudient la Loi, le feu étant le symbole de la Loi écrite et l'eau celui de la Loi orale. Car la Loi est toute lumière, et éclaire «jour et nuit» ceux qui accomplissent le précepte : «Tu méditeras la Loi jour et nuit» (*KF* p. 68).

A-D. Grad parle d'un Hayât (singulier collectif), d'un huitième ciel «source de toutes les couleurs, mais lui-même incolore, ni lumineux, ni ténébreux. Il est la Tête inconnue, insaisissable par la sagesse ou intelligence», et il ajoute: «C'est pourquoi il est écrit (*Nombres*, XXIV: 11): «Enfuis-toi dans ton pays», ce qui signifie: «Ne cherche pas à approfondir les mystères d'au-dessus de ce ciel», et aussi (*Ezechiel*, I: 14): «Et les Hayots allaient et venaient» ce qui signifie qu'elles demeuraient insaisissables. Le firmament supérieur est invoqué dans *Ezéchiel*, I, 22. «Et au-dessus de la tête de la «Hayah» apparaissait un firmament, comme l'éclat imposant du cristal» (*KF*. pp. 73-74).

Il ne semble pas que dans *Combat avec l'ange*, Giraudoux fasse autre-chose, nous invitant pourtant à savourer l'éternité qui nous sépare de cette félicité qu'il a voulue en des termes modernes que nous envisagions. Ce que nulle part il n'affirme vraiment dans ce livre, c'est que son âme aspire au buisson ardent comme solution à ses maux. Giraudoux est un mystique, on ne le dira jamais assez, mais son Age ne permettait pas qu'on le dise ouvertement, en tous cas alors que s'édifiait l'Etat laïque et qu'il semblait afficher des idées radicales-socialistes. Par son temps, Giraudoux était du côté du *Malkhouth*, alors qu'en esprit, il dépassait déjà le *Binah* à la recherche de ce second *Yod*, qui est pour nous comme une seconde vie.

4. A qui analyse l'homme, ses aspirations et son existence, il apparaît bientôt que l'être humain ne sait pas où se situer, et que dès qu'il cherche à le faire, il ne découvre que des extrêmes par rapport à lui. Giraudoux jongle avec ces données et il faut bien admettre que le personnage de Maléna est un peu un cobaye au laboratoire de Giraudoux. Proche de la *Schekina* juive, Maléna est soumise aux incidences de l'être humain en situation. Mais laissons à G.G. Scholem le soin de définir ce qu'il entend par Schekina, afin de mieux saisir la tentative giralducienne qui consiste à dissocier le couple parfait formé par Jacques et Maléna pour identifier les motifs de l'être existentiel en situation:

> «Dans la littérature talmudique et le judaïsme rabbinique non kabbalistique, on ne comprendra pas sous le mot de *Schekina* (littéralement : habitation, à savoir de Dieu dans le monde) autre chose que Dieu lui-même dans sa présence et son activité dans le monde, et surtout dans Israël. (…) On ne rencontre nulle part dans la littérature plus ancienne de division entre Dieu Lui-même et sa *Schekina* (…) Elle (la *Schekina*) apparaît sous un aspect de Dieu, qui est compris comme un élement féminin en Lui et allant presque de soi» (*K*. p. 123)[8].

La présence de Dieu appelée «son visage», c'est-à-dire en la *Schékina,* se matérialise ici en Jacques et en Maléna au niveau du «trône de justice» car le «grand nom de Dieu dans son développement créateur est justement Adam» (*K*. p. 122), celui-ci étant la virtualité du premier dans sa forme la plus pure, dit *Adam Kadman,* l'homme originel :

DIEU..............I..............ADAM KADMAN

**(Trône de   (Trône de
miséricorde)   justice)**

Jacques et Maléna sont en l'*Adam Kadman* selon ce qui est écrit par Giraudoux avant que la question de l'accord du couple soit posée:

---

8. G.G. Scholem, *La Kabbale et sa Symbolique* (pbp 255) Petite Bibliothèque Payot, 1975. Le chiffres (*K*) indiquera dans cette analyse les pages de cette œuvre auxquelles nous ferons référence.

«La perfection de notre entente venait de ce que nous avions été plus modestes et plus confiants que les autres amants. Aucun de nous n'avait songé encore, pour vérifier la grandeur de notre affection à échanger la présence de l'autre contre son image, et à le dédoubler» (*CA*. p. 66).

Or, suivant le schéma essentialiste la présence de Dieu est en Dieu, et non en l'image de Dieu d'abord. L'image de Dieu d'abord serait en l'*Adam Kadman*, la chair avant l'objet substantiel premier, en cette chair et non en Dieu. Séduction par la chair, donc, en une existence qui est situation loin du lieu dès qu'en aval de l'*Adam Kadman* apparaît Adam. Le fondement du couple est *en* Dieu et non en l'image. «Echanger la présence de l'autre contre son image» comme le dit Giraudoux c'est oublier le lieu de l'être (en *Lui*[9] plutôt qu'en *soi*). L'entente en-soi est donc en *Lui* et non en *soi* (homme existentiel). Il ne faut pas *dédoubler* insiste Giraudoux, l'*image* et la *présence* devant faire un en la *présence* qui est beaucoup plus que le simple corps physique de Jacques et de Maléna. L'unité du couple n'est pas dans ce corps physique: dans aucun corps physique, d'ailleurs. Il faut être «modeste» et «confiant» vis-à-vis de la *Schekina* ou autrement gare à la chute.

Cette idée a des connotations très fortement politiques, comme tout le livre d'ailleurs, car il est impossible de séparer l'union/désunion du couple de l'idée première Dieu/homme d'Etat. *Combat avec l'ange* illustre d'ailleurs bien le concept puisqu'ici et là réapparaît la figure du père: Brossard:

---

9. Bien que nous ayons adopté dans la première partie de ce chapitre la terminologie jungienne où le *moi* est intérieur et le *soi* extérieur, nous reprenons une terminologie qui nous semble mieux appropriée, un *Soi* intérieur (moi jungien limité) et un *Lui* extérieur (qui est moi total de l'objet et Dieu, peut-être). Nous avons en particulier expliqué cette terminologie dans notre article «A re-examination of «form and meaning» in Camus´ *Le Malentendu*, in *Nottingham French Studies*, Vol. 17. N° 2. Nottingham University, October 1978.

(à Jacques) «Tu as l'air bien peu curieux, mon enfant! Tu vois un homme d'Etat au terme de la vie, dans sa lucidité et sa sagesse, et tu ne te hâtes pas de lui parler de l'âme, de la justice?
- De Dieu?
- Pourquoi pas? Parlons de Dieu. Je ne me dérobe pas. C'est la première fois que tu entends ce nom au ministère de l'Intérieur?
- On s'attend si peu à ce que vous pensiez que Dieu existe» (*CA*. pp. 61-62).

Le ministère de l'Intérieur pourrait en effet être l'autel intérieur. Mais il ne l'est pas, pas plus d'ailleurs qu'il n'est la consécration de l'Etre Suprême auquel l'Age révolutionnaire vouait un culte. Il est quelque chose d'autre: un visage, un masque qui cache bien d'autres motifs de telle façon que le seul évident semble tout naturellement absent.
Et le dialogue continue:

« - Tu vas tout de suite très loin. Je pense tout de lui, excepté cela. Pour exister, il n'existe sûrement pas.
- Pourquoi parler de Dieu si vous êtes athée?
- Athée? Pas le moins du monde! C'est ton mot existe qui me choque. L'existence est une terrible déchéance. Nous, nous existons. La dignité que nous vaut cette qualité est plutôt médiocre. Appliquer à Dieu cette notion d'existence est un acte aussi impie et faux que de s'imaginer Dieu à notre image. Existence de Dieu et barbe blanche de Dieu sont du même magasin d'accessoires» (*CA*. p. 62).

Il serait regrettable de passer sur cette page avec trop d'empressement. Brossard est clair: Dieu n'existe pas au sens où nous avons l'habitude d'interpréter ce signe linguistique. Brossard ne dit pas ce qu'il pense de Dieu. Il dit seulement que Dieu ne saurait «exister». Le *tout* de ce qu'il pense de Dieu est extérieur à «l'existence». Jacques déduit que Brossard est athée. Mais Jacques voit l'*image* et non la *présence* de ce qu'affirmait Brossard. Ce n'est pas un athée qui affirme que Dieu n'existe pas. Brossard est profondément croyant malgré les apparences. La problématique est celle de l'*Etre* et de l'*existence*, de l'absolu et de l'absurde. Gare à l'amalgame! Dieu est indigne d'exister, le seul homme réside en ses formes, en ses images, loin de la *Schékina* il existe. En substance Dieu n'existe pas, il Est.

C'est cette découverte, un instant mise à nu avant d'être escamotée dans le paragraphe suivant (qui est le plus généralement cité) qui est reprise et précisée au chapitre neuvième où l'on voit Carlos Pio, le séducteur en puissance de Maléna, la vierge quasi consentante (Il s'agit plus d'un viol d'esprit que d'un viol de corps: celui-ci a moins d'importance pour Giraudoux, même si ici, le viol de corps symboliserait également le viol de l'esprit par rapport à son unicité), présenter les critères de l'Age existentiel loin de l'*Adam Kadman*. D'ailleurs Giraudoux identifiera Carlos Pio à celui qui *existe* sans *être*, qui n'est rien d'autre que son existence:

> (1) «Moi, dit Carlos Pio, qui commençait généralement ses phrases par moi» (*CA*. p. 274).
> (2) (parlant de Maléna) «il allait lui rendre sa liberté de femme simple, naïve, stupide» (*CA*. p. 278).
> (3) «Il allait lui rendre dans un instant, au prix de la pire humiliation et de la pire déchéance, tout son orgueil et sa primauté sur les hommes» (*CA*. p. 279).
> (4) Il était vraiment l'être qu'il fallait pour équilibrer Maléna sur la balance : exactement rien» (*CA*. p. 279).

La tentation d'existence est celle qui fait le plus grand nombre d'adeptes loin de la *présence*. On retrouve en (1) le *soi* de la perception relative (par opposition au *Lui* total), en (2) le principe de l'engagement existentiel, que Sartre appellera «liberté», mais qui pour Giraudoux est bien un libre arbitre subjectif, en (3) l'accès à l'orgueil et au pouvoir séducteur de la chair féminine sur les hommes, et enfin, en (4) le «rien» qui équilibre/déséquilibre selon que l'on s'en réfère à l'essence ou à l'existence.

Le poème de l'*existence* est donc bien posé. Reste à défendre celui de l'*être*. Giraudoux s'y entend tout aussi clairement bien qu'il soit plus difficile de concilier ce qui *est:*

«Je rejoignis Maléna dans une heure de lucidité universelle» (*CA*. p. 282).

Il faut d'ailleurs dire que tout s'opposait à l'infidélité de Maléna, d'Amparo son ancienne nourrice à José le mari de celle-ci, en passant par la petite Baba qui alors que Maléna avait annoncé à Carlos Pio «Ce sera aujourd'hui (...) Ce sera à Paris» (*CA*. pp. 274-75) avait répliqué: «Madame est une menteuse (...) Madame est un assassin! Madame est un courtier marron!» (*CA*. p. 281). C'est elle aussi - mais on dirait qu'elle devine - qui dit au téléphone à Jacques: «Si vous l'aimez, venez vite! (...) Il se passe qu'il faut savoir si vous l'aimez?» (*CA*. p. 271). L'amour seul peut sauver la pureté de la compromission.

Le destin veut que Maléna mette fin à sa fantaisie et si possible avant que la chose ait eu lieu. C'est d'ailleurs elle qui a déséquilibré le couple par son stratagème. Donner Jacques à Gladys, quelle drôle d'idée! Puis se laisser séduire par Pio dans le but possible d'atteindre à «l'existence». Si l'on s'en réfère à G.G. Scholem, il est une ambivalence de la Schekina, celle de son exil:

> «En tant qu'élément féminin, mais aussi en tant que Psyché, la Schekina présente aussi des traits effrayants (...) : De temps en temps la Schekina goûte au côté amer, et sa grâce est alors obscure. Ce n'est pas par hasard que la très vieille symbolique lunaire réapparaît dans ce contexte. De ce point de vue, la Schekina est prisonnière des forces de la Justice. Elle apparaît alors comme «l'arbre de mort», opposé à l'arbre de vie (...) Cet exil est quelquefois représenté comme le bannissement de la reine ou de la fille du roi par son époux ou son père, quelquefois aussi comme une victoire des forces démoniaques de «l'autre» côté, qui pénètrent dans le domaine pour subjuguer et soumettre leur action dirigeante» (*K*. pp. 125-6).

L'existentialisme de Giraudoux ne manquera pas d'apparaître à ceux qui le recherchent. Il s'agira non point de Schékina, mais simplement de l'homme de chair qu'est Pio:

> « - Il voulait vous forcer à être heureuse, Madame» (*CA*. p. 292).

Il en va du «bonheur» humain, qu'il est parfois très loin de la vérité et qu'il peut faire figure de détournement loin du bonheur qui est lui amour et vérité :

> (Maléna) «Mais qui me dira la vérité!
> - Moi, pensait Amparo...
> Car, la vérité, Amparo la connaissait en effet depuis longtemps. Elles est si simple! La voici. Chez les malheureux, les maux physiques sont les maux moraux. Chez les heureux, les maux moraux sont les maux physiques. Ainsi le cercle est clos, et toute la création s'explique dans son égalité, sa réussite et sa justice» (*CA*. p. 292).

C'est d'ailleurs l'épisode de l'Ange au sens de la Schekina («l'exil de la Schekina est un symbole de notre propre faute, ce doit être le sens de l'activité religieuse de se relever d'un tel exil, ou d'y travailler. La réunion nouvelle de Dieu et de sa Schekina est le sens de la rédemption. En elle, l'élément masculin et l'élément féminin, considérés à nouveau mythiquement, seront ramenés à leur unité originelle (...) «pour l'amour de la réunion de Dieu avec sa Schekina» «(*K*. pp. 126-27). Cet épisode, Maléna le racontera, peut-être avec quelque forfanterie, à Amparo: «Ce n'était pas un ange de ma taille (...). Comment ce géant des géants pouvait arriver à lutter avec moi, cela m'était incompréhensible» (*CA*. p. 289) ! Essentialisme et existencialisme vont se heurter dans un atroce corps-à-corps où l'on ne saura pas exactement ce qui est quoi, chaque masque pouvant porter une signification d'essence ou d'existence, d'absolu ou d'absurde:

> «Son orteil était plus gros que moi. Son regard plus dense que moi. Si encore j'avais su ce qu'il me voulait! Mais je n'arrivais pas à démêler l'enjeu de la lutte. Il venait lutter les jours où je désespérais, je croyais que c'était contre mon désespoir. Il venait lutter mes jours de bonheur, je croyais que c'était contre mon bonheur» (*CA*. p. 290).

Le bonheur du juste n'est pas celui de l'injuste; le lieu du bonheur de l'un est en la vérité, le lieu du bonheur de l'autre est en l'existence: même mot, pourtant, et Sartre a raison d'affirmer «que certains choix sont fondés sur l'erreur, et d'autres sur la vérité»[10], que «tout homme qui invente un déterminisme est un homme de mauvaise foi» (*EH*. p. 81) et que «choisir le conseiller, c'est encore s'engager soi-même» (*EH*. p. 4). Ne pas discerner l'origine du choix peut entraîner une certaine confusion car qui peut prétendre trouver la voie en sa subjectivité? La confusion résulte chez un individu de la séparation d'avec l'arbre de vie, d'un éloignement d'avec le Tétragramme de la Colonne du milieu. Dans cette vue des choses, Dieu est, alors pour Sartre ce concept même est une abération. Mais revenons à l'ange de Maléna:

> «J'avais parfois l'impression que lui-même croyait à une méprise, mais qu'un ordre supérieur lui prescrivait de continuer, et qu'il se forçait à lutter contre la tendresse et le renoncement, alors qu'il était parti en guerre contre l'orgueil? Etait-il l'ange de l'orgueil ou l'ennemi de l'orgueil? Son visage était trop haut dans le ciel pour que je pusse y lire. D'ailleurs moi-même étais-je une irréductible petite masse d'orgueil ou une irréductible petite masse d'humilité, je ne le sais pas davantage aujourd'hui! Ni si j'étais l'orgueil de l'humilité, ou l'humilité de l'orgueil» (*CA*. p. 290).

Le principe de l'alternance est bien respecté par Giraudoux. Tout dépend du point de référence et le cauchemar de Maléna illustre bien cet empoignement avant que selon les mots d'Amparo la jeune femme se soit «bien réveillée» :

> «Les avares eussent défendu l'avarice, les luxurieux la luxure. Je le vois contre Gladys qui eût défendu sa liberté. Je le vois contre toi, qui aurait défendu ton esclavage, et avec toi le combat eût certes gagné en pittoresque. Je vois comme tu te serais débattue, tes ruses, tes mensonges, toute la famille Amparo coalisée contre sa masse blanche, José tirant sur lui à la carabine, Baba lui brûlant le talon au tisonnier. Moi j'étais seule» (*CA*. p. 291)!

L'identité de l'ange est mise en cause. Tentative à la puissance deux : cet ange est-il ange ou démon?

---

10. Jean-Paul Sartre, *L'Existentialisme est un Humanisme*. Nagel, 1968. Les chiffres (*EH*) indiqueront dans cette analyse les pages de cette œuvre auxquelles nous ferons référence.

«Certaines fois, je pensais aussi que c'était l'ange de la mort, tant mon angoisse était profonde dans ses bras, mais non! C'était au contraire quelqu'un qui avait ordre de me vaincre vivante, et s'était déguisé en conséquence. Cette immense taille qu'il avait c'était la plus petite taille à laquelle il eût pu se réduire. Dans les différents mondes je sentais qu'il avait eu à lutter avec des êtres hauts comme les Andes. Cette fois c'était moi; mais qui me dira ce qu'il a vaincu en ma personne, ou en moi-même» (*CA*. p. 292).

Or comme l'ange, Carlos Pio était très grand. Avant le cauchemar révélateur d'essence voilà quel était le message existentiel et en somme le poids d'humanité représenté par cet homme:

«Comme la vie avec cet être simple allait être facile! Quand il serait là, il serait simplement là, et non pas, comme Jacques, remplacé par une image de Jacques plus tyrannique que Jacques même, et qui abusait même sur le corps de Maléna de toutes les procurations. Avec lui, il y aurait enfin d'autre égalité que ce court moment où tous les êtres sont égaux, l'esclave à la reine, la lionne à la fourmi, où elle se précipitait maintenant chaque jour avec un acharnement dont Jacques était ému et dont elle avait honte, cette égalité d'agonie» (*CA*. p. 279).

Le problème profond soulevé par *Combat avec l'ange* est métaphysique, il ramène le désir et la volonté des hommes à se jauger au grand paramètre de la Colonne du milieu. Pour mener à bien cette quête il est nécessaire qu'ils fassent abstraction de leur subjectivité, face au problème à résoudre en toute bonne foi. Il s'agit alors du couple dans son rapport essentialisme/existentialisme, absolu/absurde:

«Mais elle avait mal compté avec le naufrage de l'âme, avec ce chavirement qui change soudain en nécessité pour la femme l'homme voilà une seconde inaccepté par elle. Dès que les deux têtes se furent heurtées, Carlos Pio devint une espèce de dieu, doué d'une force surhumaine (...) hors d'une étreinte si amoureusement déchaînée que l'amour au fond n'y était pas indispensable...» (*CA*. p. 280).

La poursuite de l'objet livrée à cet objet par Giraudoux analyste est impitoyable...C'est une quête d'amour. C'est celle de Jacques qui en *présence* est terriblement présent et pourtant loin de Maléna en exil.

Un exil qui est la chose de Maléna et dont Jacques participe à distance, conscient des souffrances de sa Schekina. Tout est péripétie et le combat final c'est avec elle-même que Maléna le livre, c'est le combat avec l'ange, la fin de la dualité essentialisme/existentialisme, en l'autel intérieur, cette troisième voie qui les contient toutes en sa lumière. Il s'agit du feu d'Isaac, le feu d'Abraham, du Tétragramme, de l'holaucoste et de la rédemption de cette *fille unique*. Présence pour présence : enfin le couple est réuni, les principes psychologiques, politique et métaphysique sont fondus en l'Unité. Les Trônes de justice et de miséricorde ne font plus qu'un, eux-aussi en le Père.

5. Maléna débarquant à Paris porte en elle un paramètre inhabituel à ceux qui comme Jacques vivent en Europe. Il s'agit du bonheur qu'elle posera comme un principe total et premier, sans inattendu et sans compromis, sans alternative non plus :

> «dans le pays de Maléna, le bonheur existait encore dans sa force, dans son étendue primitive, et c'était d'ailleurs pour cela que Maléna était mariée» (*CA*. p. 31).

Simple conséquence, une loi, «la loi», qu'on ne discute pas : «On ne s'épousait pas, dans cette région du monde, par amour, ni par convenance, mais par ordonnance du bonheur» (*CA*. p. 32), immuabilité dans la perfection de l'état qui est tout, le bonheur, «Les sens du bonheur étaient trop dominants chez ces jeunes femmes pour ne pas primer les sens du plaisir» (*CA*. p. 32). L'Europe est, elle, synonyme de «malheur» (*CA*. p. 37). le couple qui va se former est à deux volets, le bonheur c'est Maléna, le malheur, c'est Jacques, avec cette osmose du couple qui fonctionnera d'abord suivant la relation :

$$\downarrow \frac{\textbf{Maléna}}{\textbf{Jacques}} = \textbf{1.}$$

Maléna : «Sous ces yeux aveugles pour tout ce qui n'était pas clarté, l'univers se réduisait en une magnifique peau de chagrin» (*CA*. p. 33).

D'un côté du diptyque, la transcendance, de l'autre une grande interrogation, d'un côté l'Eden, de l'autre l'Europe, d'un côté la transparence et la liberté, de l'autre un potentiel de pensée et de rupture. C'est ainsi que Giraudoux pourra façonner par analogie une égalité entre le psychologique et le sociologique, voire entre le métaphysique et le politique. Ainsi, il s'agissait pour Maléna, laissant Jacques parler «à me naturaliser, à me naturaliser heureux» (*CA. p.* 35), dans un contexte qui s'y prêtait assez mal :

> «Je me sentais hypocrite de lui dissimuler que mon apport dans le contrat, alors que sa dot était un bonheur sans âge, c'était mon siècle et sa triste aventure» (*CA*. p. 37).

Le diptyque est fait d'un absolu s'en rapportant à un relatif, la nature à la condition humaine, rapport constant à l'œuvre de Giraudoux et peut-être le seul qui soit capital.

L'amitié de Maléna survient à la fin d'une aventure «européenne» de Jacques avec Annie, et elle implique pour lui le dépassement de la condition européenne en son rapport avec l'absolu :

> «De sorte qu'au seuil de sa maison, j'en vins à me désincarner peu à peu de cet être qui adhérait de tous ses organes aux malheurs passés et futurs. Elle me donna tout le temps de dégager mon double heureux. Elle fit durer le début de notre liaison exactement ce que dure une fin de liaison. C'était pour me permettre de rompre celle que j'avais encore, non pas avec Annie, mais avec l'Europe, mais avec le malheur» (*CA*. p. 37).

C'est par la féminité en une femme que vient le bonheur. En l'occurence c'est la thèse giralducienne, même si nous sommes avertis qu'au miroir l'alternance est proche : «Chacun prétendait en Europe souffrir même du malheur des autres. Le mot Aimer devenait presque un synonyme au mot Haïr» (*CA*. p. 34). Ainsi l'Amour en la perfection et l'amour en Europe.

La relation est la même alors qu'on passe de l'être à la pensée et Giraudoux est très proche de Louis Lavelle pour qui « au sein d'une pensée totale s'insère une pensée particulière qui tient de la première à la fois son origine et son essence» (*PT*. p. 66). Ainsi Jacques s'en rapporte-t-il à Maléna. Que survienne une rupture du rapport, lui-même posé par la dichotomie Amérique latine (Eldorado) / Europe, et apparaît un «écart» : «L'écart entre la pensée et l'être, c'est donc l'écart entre une pensée inachevée et une pensée achevée, entre une pensée qui se cherche et une pensée qui se trouve» (*PT*. p. 65). Paradoxalement, chez Giraudoux, la pensée achevée ne pense plus, elle est «être de Maléna». Et c'est du jour où Maléna cherchera à penser pour elle-même qu'elle s'approchera du malheur, justement parce que dans un engagement - nécessairement restrictif - de la pensée elle s'intéressera au «pauvre». Et tout naturellement cette philosophie amène le pauvre à s'en référer au riche, et l'un et l'autre à se contempler; ainsi Gladys qui personnifie la beauté, le luxe et le libéralisme, sinon l'esprit libertaire ou libertin et le pauvre à qui il reste toujours son silence :

«Regarde ma robe. Je suis heureuse pour toi qu'elle aille bien. C'est la plus parfaite robe que j'aie eu de ma vie, elle est verte. C'est une couleur pour les yeux. Détourne la tête vers moi. Ne regarde pas ses diamants, ils brillent trop, regarde mes perles. La perle est douce aux yeux d'un pauvre. Et si c'est seulement la curiosité d'une femme heureuse qui t'attire, ou simplement d'une femme, je me livre à toi, par pénitence et par espoir» (*CA*. p. 216).

Ainsi le sadique et le masochiste, le capitaliste et le marxiste. La chair contemple la chair, la matière la matière, et il s'agit du don de soi, mais dans un désir d'appropriation de ce qu'on n'a pas, soi. Le politique ne saurait être plus proche du métaphysique, le relatif de l'absolu, et jamais «l'écart» dont parle Lavelle ne peut, chez Giraudoux, être limité à deux dimensions S/s. Il y en a trois parce que l'être fini doit s'en rapporter à ce que Lavelle appelle être total, et que si toujours l'être fini l'est dans l'espace-temps (Gladys et le pauvre au bois), l'être total vit dans la durée :

«car il est également vrai de dire d'une part, que le tout subsiste hors de la pensée individuelle et que celle-ci ne réussira jamais à s'identifier avec lui, et d'autre part, que notre pensée, si elle était poussée jusqu'à son point de perfection, c'est-à-dire si elle pouvait s'achever, viendrait coïncider rigoureusement avec son objet, de telle sorte que, comme on l'a vu, l'objet lui-même pourra être défini comme étant une pensée parfaite, mais une pensée sans dualité et par conséquent sans conscience» (*PT*. p. 115).

L'être total est ainsi la norme absolue à laquelle les deux termes du rapport doivent s'en rapporter pour être plus que des virtualités. C'est dans cette démarche qu'ils trouvent leur identité en même temps que la nécessité du dépassement de la dualité pour être au lieu d'exister. Ce dépassement de la dualité est bien ce que notre âge a le plus de mal à concevoir, notre âge et nous, mais pas Giraudoux.

L'auteur de *Combat avec l'ange* n'hésite pas à faire intervenir Dieu Lui-même dans une relation où chez Maléna le *Lui* et le *soi* sont en conciliabule pratiquement permanent comme le laisse entendre le Chapitre Septième. Mais Dieu est conscience il est même conscience totale en même temps que perception pure puisqu'après tout, tout est *en* Lui avant que d'être projeté en virtualité. Tout est durée avant que de prendre (quand cela a lieu) une forme subjective du temps, relation d'esclave à l'espace-temps. C'est pour cela que Dieu voudra que l'espace d'un instant Maléna pense à Gladys vieille (*CA*. p. 226). Ainsi écrit Lavelle «l'instant manifeste nos limites, mais puisqu'il est en même temps notre point de jonction avec l'être, puisque c'est en lui que s'exerce un acte identique dont le contenu se renouvelle sans cesse, il atteste aussi l'éternité actuelle, sinon de notre nature propre, du moins de son fondement spirituel» (*PT*. p. 231). C'est ainsi que d'un point de vue spatial, on sortira de l'instant pour entrer dans le temps qui est lui-même rapport du désir ainsi que de la « liberté » existentielle. C'est dans ce panneau que tombera Maléna en voulant donner Gladys à Jacques - problème de croyance, mais pas de foi -, ainsi parlait Dieu :

«Si tu persistes à croire que la charité consiste à donner aux riches, la pitié à pleurer les heureux, libre à toi...
Dieu ne disait pas très exactement sa pensée. Il distingue le grand suicide et le petit suicide. Le grand suicide consiste pour l'être à se détruire. Il le condamne. Le petit suicide consiste pour l'être à détruire une de ses beautés» (*CA.* p. 226).

Tout caprice illustre l'absolu qui lui fait pendant, et comme le dit Lavelle «la présence absolue d'un être éternel» (*CA.* p. 23) mais l'idée même de caprice souligne les limites de l'interprétation :

« - Seigneur, pensait-elle, vous qui nous voyez, jugez-moi. Je sais que vous êtes pour les grands couples. C'est sur eux que vous avez mis vos espérances, et c'est un petit couple que Jacques et moi nous formons. Je ne le mène à rien, car je ne vais à rien. Notre lit est le lieu du monde le plus éloigné du crime, de l'enthousiasme, et de la divination» (*CA.* p. 220).

En son «désir» Maléna ne voit pas la réalité première. En son souhait, le couple Gladys-Jacques sera le couple qu'il faut. Elle ne réalise pas que c'est d'elle qu'il s'agit quand elle dit : «L'homme se relève fort quand il a touché sa vraie femme étendue, car la femme est la seule terre pour l'homme» (*CA.* p. 221). Jacques sera le vrai homme pour elle, mais il leur faudra attendre un peu en l'espace-temps. Dieu définira «l'écart» qui sépare Gladys de Maléna et ceci par rapport à Lui :

«Peut-être sous-estimes-tu tes vertus par rapport aux siennes. Tu es blanche à l'œil de Dieu, douce à l'œil de Dieu, douce, - assurons-nous en aussitôt -, à ses mains. Te voir me rappelle à quoi j'ai pensé en te créant. Le jour de ton jour j'étais tendre, distrait; mes erreurs sur toi viennent justement de ce que je pensais à toi. Pour Gladys, c'est une autre histoire. Elle n'est pas de tout repos, même pour moi. Ce qu'elle a dit du diable est un mensonge, elle en veut bel et bien aux pauvres. Elle a raison : ils lui ont pris la pauvreté» (*CA.* p. 222).

Giraudoux élargit la problématique de la différence des êtres, envie, concupiscence et pourquoi pas lutte des classes, à une faute de création ou à une erreur de perception chez les humains. Celle-ci est liée à leur façon d'adhérer à l'espace-temps :

«Mais j'ai mal estimé la longueur de la vie. J'aurais dû me rendre compte que pour vous elle était longue. Pour moi elle était une seconde, un centième de seconde : en créant le pauvre je créais un éblouissement de pauvreté. Il reste éblouissement pour moi. Pour le pauvre, il est ce qu'est un éblouissement qui dure, un hébètement. Je changerai un jour la notion de temps chez les hommes, mais sûrement pas la pauvreté» (*CA*. p. 223).

Jeu de mot et culbute, éblouissement qui dure, en la durée ou en l'espace-temps? Si en effet l'être humain pouvait concevoir le temps comme un instant, toujours, il participerait lui aussi de la durée, au niveau même de ses perceptions et partant, de l'être. C'est parce qu'il est lié à l'espace-temps que l'être humain est malheureux, et tout particulièrement l'Européen. Le ramener à la durée, serait lui permettre de participer totalement du tout et non du partiel. Ce serait le paradis sur terre puisqu'alors la notion de temps ayant changé de physionomie toute perception serait épurée. En cet instant la conception politique - l'analyse de la pauvreté - est clairement tributaire de la conception métaphysique de Giraudoux. Dieu est durée et participer à l'être, c'est procéder de cette présence totale. Question que Dieu posera d'ailleurs à Maléna et qui soulignera l'engagement de Maléna, engagement humain s'il en fut :

> « (Dieu) Tu renonces à lui pour moi?
> - Excusez-moi. Pour lui» (*CA*. p. 224).

Le don (caprice) de Maléna est dû à sa stérilité qui serait selon Giraudoux la source de tous les problèmes pour l'homme :

> «Oh, mais alors c'est tout à fait grave! Les problèmes ne se posent pas pour ceux qui se reproduisent, c'est un héritage qu'on se transmet. Mais ils s'arrêtent au-dessus de ceux qui vivent et meurent pour leur propre compte.
> - Oui, Seigneur, celui de l'amour est au-dessus de moi» (*CA*. p. 224).
> « - A défaut d'enfant, il naîtra d'elle un Jacques plus fort, plus droit, plus digne de vous.
> - Je me méfie des êtres qui naissent de leurs propres étreintes. J'aime encore mieux l'enfant inexistant conçu dans ta stérilité. Comment le vois-tu? Comment est-il? Je suis le parrain de tous les enfants qui ne naissent pas» (*CA*. pp. 224-25).

Elle, il s'agit de Gladys. Elle a un rôle à jouer, même si ce n'est pas celui que lui a fixé Maléna. La loi doit-être suivie (l'héritage par reproduction). Se reproduire pour son propre compte c'est un caprice, les étreintes non sanctifiées, un leurre. Mais du caprice de Maléna (le don de Jacques à Gladys) naîtra un être plus digne de Maléna, prophétie :

> «Mais Dieu ne laissait pas la conversation s'égarer. Il suit ses idées. C'est son fort. De là la création» (*CA*. p. 225).

Esotérisme de Giraudoux ? Il y a les enfants qui ne naissent pas et dont Il est parrain, véritables corps astraux et le corps physique de la création. Qu'une idée soit suivie jusqu'au bout par Dieu et elle est bonne :

> « - La plénitude. Je suis l'étroitesse. Vous ne direz pas, Seigneur, que vous ne préférez pas la voix de Gladys à ma voix? Ecoutez?
> - La sienne est ma sonorité. La tienne est mon timbre.
> - Gladys passait dans un rayon.
> - Son corps à mon corps?...
> - Son corps dit aux hommes ma loi. Le tien mon indulgence.
> - Vous voyez. Il faut votre présence près de moi pour que j'égale Gladys sur la balance.
> - Mais je suis le meilleur appoint... Enfin, nous allons voir... Si tu persistes à croire que la charité consiste à donner aux riches, la pitié à pleurer les malheureux, libre à toi...» (*CA*. pp. 225-26).

Que Maléna apprenne donc à vivre sans complexe toute sa virtualité. Qu'elle vive son temps en Sa durée : «Aujourd'hui ou dans trente ans. Tu sais que la notion du temps n'existe pas pour moi» (*CA*. p. 226) Importante, cette présence de Dieu, norme d'être aux relations humaines et troisième dimension, toujours celle d'absolu : « - Et moi non plus je ne te perdrai pas de vue, disait la grande voix déjà assourdie. Je te donne rendez-vous ce soir dans ta chambre à minuit. - Jacques y sera... - Tant mieux» (*CA*. p. 227). Présence de Dieu qui, selon ce qu'en dit Scholem s'en rapportant au *Zohar* a l'importance d'être : «Pendant l'heure où l'homme s'unit à sa femme, il doit diriger ses pensées vers la sainteté de son Seigneur et dire : «Dans un doux vêtement de velours - es-tu ici ? / Arrête arrête ! / N'entre pas et ne sors pas / Rien de toi et rien en toi ! / Retourne, retourne, la mer gronde, / Ses vagues t'appellent. / Mais je saisis la partie sacrée, / Je suis entouré de la Sainteté du Roi. /» Alors il doit pendant quelque temps couvrir sa tête et celle de sa femme de linges et arroser plus tard son lit d'eau claire» (*Zohar* III, 19a) - (*K.* p. 173).

Giraudoux joue sur deux tableaux : l'existence et l'être. Il a la bonne idée de les montrer l'un et l'autre à ses lecteurs dans leur relation au tout universel. C'est d'ailleurs pour cela qu'il inquiète un peu :

«L'averse ruissela. Tout ce qu'aimait particulièrement Dieu devint luisant, les feuilles, les chevaux, les oiseaux (...) Gladys avait un sourire tendre et ironique à l'adresse de Celui qui sait faire pleuvoir quand on ne s'y attend pas. Elle était toute fière de Dieu. Elle était toute fière de voir son chef d'œuvre de robe mouillée et transpercée. C'était parfait. Elle s'était douté de la destination de cette robe : c'était le costume de bain sur la rive de Dieu. Les deux larmes de Maléna ne signifièrent absolument plus rien dans ce déluge...
- C'en est fait! Je les présenterai ce soir l'un à l'autre, pensait Maléna... Que votre volonté soit faite!
- Amen, dit Dieu... Mais le pensait-il?» (*CA.* pp. 227-28).

La subjectivité de Maléna et l'objectivité de Dieu, toutes deux sont là, présence en l'instant et corrélation de l'espace-temps à la durée. Dans l'instant continue de vivre la durée si par ailleurs de lui naît le présent.

6. L'espace-temps est contenu dans le présent. On ne le dira jamais assez. C'est ce saut de la durée au temps que les humains comprennent mal et qui est peut-être ce qu'on appelle la Chute. C'est ce qui fait écrire à Lavelle que l'individu est esclave du temps : «Car, si le temps est la forme de notre expérience, nous nous laissons entraîner par lui dans la mesure où notre activité fléchit et se détend» (*PT.* p. 227). Pour réaliser son essence, l'être humain se doit de surmonter «les limites de sa nature individuelle» (*PT.* pp. 226-27). A la détente s'oppose alors la concentration et «l'étroitesse de la participation nous oblige à dilater l'extention de la durée pour embrasser l'être» (*PT*. p. 227). Remontée qui est bien difficile, car comment arrêter le fléchissement? : «c'est parce que le temps est subjectif que chaque conscience en fixe le rythme en le réglant sur l'intervalle qui la sépare de l'être pur» (*PT*. pp. 227-28). Cet écart importe dans sa relation d'un rythme à l'autre, mais le paramètre est le rythme absolu qui est lui-même durée, en «l'être pur». Cette distinction est généralement mal vue. Le bipolarisme humain est en réalité un tétragramme. Ne jamais se comparer à l'autre serait la règle, mais à l'absolu, pour se reconnaître en la puissance de l'être, continuel dépassement de *soi*, donc, et peu importe l'autre, affaire de pulsations : «Ce rythme est indéfiniment varié, mais il ne peut être contracté dans la perfection de l'unité qu'en certains points culminants de notre vie d'où nous ne cessons de déchoir pour les atteindre à nouveau...» (*PT*. p. 228). L'individu est esclave du temps et sait mal aider à son développement vrai qui est lié non pas à un *soi* mais à tout qui passe par *lui*. Comment en d'autres termes participer «au développement illimité de notre être limité» (*PT*. p. 236) ?

Il en va ainsi de l'état de conscience de Maléna au Chapitre Sixième à mettre en doute Jacques, non pas le fataliste, mais l'impalpable, l'insaisissable :

> «ma sincérité était celle d'un élément, dont la réalité vous échappe; j'étais sincère et nu comme un arbre, comme un ruisseau, c'est-à-dire un mystère, un secret, c'est-à-dire un mensonge» (*CA*. p. 166).

La perfection peut paraître mensonge à notre être limité dès que le sens de l'esprit humain s'y attache, confusion impalpable et d'autant plus dangereuse qu'on ne sait pas comment savoir qu'il s'agit bien là de confusion-projection d'une subjectivité sur une totalité : «elle (Maléna) prenait l'irréalité du moment pour l'irréalité de notre couple» (*CA*. p. 167); ainsi l'esprit en l'espace-temps ne saisit-il du moment que l'intention qu'il peut lui accrocher, confusion dûe à un manque de «présence» - absence que l'existentialisme -, absence de conscience pure, grâce à la pensée de Maléna, et la pensée est déja un objet pour l'être humain, même si dans la réalité il s'agit d'une image projetée en masque sur l'être :

> «Tout ce qui semblait prouver que j'en avais fini pour aujourd'hui avec les femmes n'était que fausse preuve (...) Elle eut la vision de son amant la trompant en plein soleil» (*CA*. p. 168).

Le rôle de la suggestion dans l'a-conscience n'est pas simple trouble de la perception ou de la personnalité, c'est un manque de l'a-croyance en l'être, donc d'une subjectivation quasi absolue du pour-soi, un aveuglement qui empêche de participer au développement illimité de notre être limité : l'être humain s'enferme en *soi*-même par incapacité à sortir de *lui*-même. L'être existentiel se croit par mal-perception :

> «Ne pas être dans ce qui est au plus haut point, voilà le vrai malheur... Ainsi pensait Maléna, dans cette lutte pour saisir le présent qu'est la jalousie, et l'or changeant dont le soleil venait habiller nos corps n'était pas précisément pour donner à la minute actuelle son éternité et sa stabilité» (*CA*. pp. 168-69).

L'être humain se croit par mal-perception et l'image qu'il colle à lui est un absolu qui l'entache par manque d'être :

> «Tu me mens non parce que tu ne me dis pas la vérité, je sais que tu me la dis, mais parce que tout est mensonge, la vérité plus que le reste? (...) Pars vite, Jacques, pars vite, que je te suive, et qu'elle se méfie, celle qui t'aura pris à moi!... Puisque je ne peux être ce que je devrais être, puisque tout se· brise et se casse sous mon pas quand je veux aller vers la perfection, nous verrons si c'est plus facile d'aller vers la vengeance... - Voilà, tu es parti. Je bondis. Je m'habille. Dis-moi que je ne suis pas jalouse! Rassure-moi! Cela, ce n'est pas la jalousie, n'est-ce pas? - Non» (*CA*. pp. 171-72).

Dans *Combat avec l'ange* 1934, Giraudoux fait à l'avance le procès de l'existentialisme, celui de la révolte. Si l'homme ne peut atteindre l'absolu et le faire sien (acte politique), alors il lui faut s'en exclure et s'armer de courage pour se venger (Voir La Fontaine:

«Il faut que je me venge» - Le Loup et l'Agneau). Voilà la guerre qui est l'envers humain de la Paix, l'envers existentiel de la grâce, l'asservissement au temps présent, du temps au présent, hors de la durée. Le néant est au cœur de la question. C'est d'ailleurs de cela même que Brossard voudra que l'entretiennent Hartleben et Trimaud, la guerre allemande et la guerre française, deux guerres dont on cherchera à mesurer l'écart, s'en rapportant à l'absolu de la guerre. Très paradoxalement d'ailleurs car la guerre est l'erreur de la paix et celle-ci seule peut-être envisagée comme un absolu. De là tout ce jeu giralducien où se mêleront les images fortes de Li-pou-pou, du Comité des Forges, de l'Académie et de ces syncopes auxquelles Brossard (l'homme-président) est de plus en plus sujet et qu'il faudra décoder comme des passages du présent à la durée dans l'inconscience de l'instant déspatialisé. Mais Brossard cherchera également à domestiquer les syncopes (*CA*. p. 183) de façon à ce que son appartenance au présent ne soit pas totalement endommagée, car enfin tout Président du Conseil se doit d'appartenir à son temps. Un président syncopé...Quel beau point de liaison pour le temps et la durée !

D'ailleurs quand on parle de guerre, c'est bien de la définition qu'il s'agit, avant tout :

«Toutes les fois où des contestations de vocabulaire se sont élevées, comme à notre avant-dernière séance, au sujet de la définition du mot sous-produit, et du mot présence, - dans l'expression jeton de présence, - ils ont toujours eu recours au dictionnaire de l'Académie. Soyez assuré que pour le mot guerre ils agiraient de même» (*CA* p. 176).

«Le mot «sous-produit» et le mot «présence», du côté de l'image voilà bien le partial s'en rapportant au tout, dont au niveau de l'objet Lavelle écrit : «Pour être, notre pensée doit saisir en le faisant sien, un des aspects de l'être total, ce qui lui permet de se distinguer de l'être et pourtant d'en faire partie» (*CA*. p. 122).

Trimaud qui avoue pourtant tout devoir à la guerre ne l'aime pas et c'est par «ingratitude» (*CA*. p. 177), parce que s'il a réussi à s'approprier les avantages matériels, les avantages moraux de ladite lui échappent : «c'est que la gloire s'obstinait sur tous les domaines à être la gloire des autres» (*CA*. p. 177). Il est difficile de définir la guerre comme en-soi : «il faut la considérer comme une fatalité mais aussi comme une grandeur» (*CA*. p. 177), c'est une forme de communication, une monnaie d'échange, comme les mots. Bien avant que l'école de Structuralisme ait généralisé l'idée de relier les activités humaines à la linguistique, Giraudoux le suggère. La guerre :

> «Ce qu'elle est en soi ne nous regarde pas. L'objet d'une industrie, que ce soit celle de l'acier ou celle des gants de peau, n'est pas d'arriver à une définition de ses clients. C'est une cliente que nous ne voyons pas, qui dans des périodes que d'aucuns trouvent courtes mais dont nous sommes les seuls à ressentir la durée, n'existe même pas. En cela je conviens que nous sommes privilégiés par rapport aux fabricants de gants de peau, qui ne peuvent continuer à livrer quotidiennement des gants à celles de leurs clientes qui dorment cent ans de suite ou à celles qui ne sont pas encore nées. Mais c'est tout ce que demande le Comité des Forges : être le fournisseur de la Belle au bois dormant» (*CA*. p. 178).

Quand la guerre n'existe pas, cela s'appele la paix. Il n'y a pas de doute que pour Giraudoux la paix s'attache à la durée, la guerre qui prend acte sur la vie s'attache à des moments privilégiés : ceux où la subjectivité humaine se réveille et prend une formulation collective. Acte diabolique, «Le Comité des Forges est un armurier» (*CA*. p. 178), le fournisseur de la Belle au bois dormant; l'argent n'ayant pas d'odeur, qu'importe le reste ! L'armurier saura approvisionner les états qui auront l'envie (désir = subjectivité) d'entrer en guerre :

> «il ne nous est jamais venu à l'idée de favoriser les commandes d'Assomption aux dépens des commandes de Tokio. L'usage que fera des canons le pays acheteur ne nous importe pas d'avantage; il peut aussi bien se suicider, si telle est son envie, et se bombarder soi-même. La loyauté du Comité est prouvée par cette simple indication qu'il ne fait aucune différence non seulement entre les nations, mais aussi entre les guerres, et qu'il est aussi bien fournisseur de la guerre civile que de la guerre internationale.
> - Le plus grand nombre de Belles au bois dormant, en somme : voilà votre devise?
> - Exactement, Monsieur le Président» (*CA*. p. 179).

La pensée de Giraudoux s'élabore d'une façon multiple en partant de l'unité : la Paix. Dès que son envers est posé, la guerre, débute non pas la canonnade, mais le feu d'artifice. Il faut voir derrière la guerre le principe du capitalisme, mais derrière lui, plus loin encore, *Mammon* : principe moral et l'ennemi de Dieu. Car la guerre, c'est bien la subjectivité des êtres livrés existentiellement parlant au diable. Peu importent les identités nationales ou les idéologies qui peuvent s'opposer, guerre civile ou guerre internationale. Il faut dépasser les engagements pour déchiffrer la pensée de Giraudoux. Que d'ironie sous-jacente à cette terminologie! Le Comité des Forges, l'allemand ou le français, s'en rapportent à l'enfer absolu, dépassement malin en la guerre absolue où personne n'est responsable.

Dans *Combat avec l'ange* il ne s'agit pas de dieux, mais plus profondément de la pensée judéo-chrétienne. Comment croire aussi que Giraudoux puisse adhérer en pensée au principe d'une guerre civile ou internationale, fut-ce celle-là même qui porte pour nom lutte des classes (guerre civile ou internationale). La révolution giralducienne, car il en est une, pose ses bases dans la métaphysique, dans la dualité paix / guerre, avec absence de la seconde dès que les hommes sont en mesure de découvrir la non-agression de pays à pays, de classe à classe dans une comparaison à trois dimensions s'en rapportant à l'absolu de la chose même, la guerre n'étant qu'une image virtuelle de la paix, mais quelque peu faussée, comme le sont les mots s'en référant à la chose en soi. Il en va ici comme d'un surréalisme qui s'en rapporterait à l'essentialisme, à la totalité de l'être. Ceux qui ne voient pas cela ne verront jamais Giraudoux dans sa totalité, c'est-à-dire de l'intérieur. Ainsi «M. Trimaud, du Comité des Forges français, et M. von Hartleben, du Comité des Forges allemand» (*CA.* p. 173), des clercs, des fonctionnaires, en somme :

> «Je crois que vous faites fausse route en cherchant de notre côté une défi-nition, c'est-à-dire une théorie, c'est-à-dire une source de guerre. Ce n'est pas là que vous la trouverez, mais à cette poche d'air irréductible, - excusez mes comparaisons, je suis polytechnicien, - qui empêche, quand on accole deux nations, une coïncidence absolue. Puisqu'il s'agit de la France et de l'Allemagne, la coïncidence entre elles s'obtient sur la plupart des surfaces,

ou des classes, ou des industries. Notre Comité entretient avec le Comité des Forges allemand les relations les plus fraternelles; à l'autre extrémité, l'artilleur français ne nourrit, et inversement, pas le moindre sentiment hostile à l'artilleur allemand. Je dirai plus : il y a une fraternité d'armement, comme il y a une fraternité d'armée... Vous m'écoutez, Monsieur le Président» (*CA*. pp. 179-80).

Les mots sont source de guerre, une théorie c'est une structure, c'est une immanence, pas une transcendance, une interprétation et pas une exégèse. C'est scientifique une théorie, ce n'est pas le vrai et puisque dans une guerre il y a deux parties (partis) aux prises (cf : la lutte des classes) c'est dans l'écart différentiel qui les frappe qu'il faut voir le principe d'opposition, hors la «coïncidence absolue». Si celle-ci devait exister il n'y aurait point deux images de l'être, mais elles deux en l'être : point de frères ennemis. La dichotomie naît d'un principe extérieur aux hommes mais que Giraudoux ne nomme pas. Le Président est pris de syncope : il passe de l'espace-temps à la durée dans l'inconscience. N'est-ce pas également pour Brossard le moyen de saisir au mieux ce qu'on lui dit ? de passer la barre du signifiant pour toucher au signifié absolu et derrière lui au champ du tétragramme, d'éviter ainsi la guerre justement par perception globale du Tout, hors les définitions humaines ?

Au réveil, alors qu'on lui parlait de guerre, Brossard rencontrera des yeux qui témoigneront de la vision intérieure qu'il n'aura pas manqué d'entrevoir en la durée :

«Ce fut Potanceau qui prit Brossard par les épaules et près de la tête pincée et pâle du président, presque collée à elle, Maléna vit avec stupeur apparaître sa tête modèle, éclatante de santé et de compassion pour l'autre. Brossard, en reprenant connaissance, et en cherchant des yeux Trimaud et Hartleben, ne vit que cette jeune femme prête à fuir et pourtant penchée sur lui, les yeux en pleurs et pourtant souriante.
- Il sourit lui aussi. Cela ressemblait quand même tellement plus à la paix» (*CA*. pp. 194-95)!

Ainsi faut-il envisager la perception pure, la fin de l'image virtuelle «guerre» par son dépassement en l'être total, présence totale non

141

faussée par les définitions. Chaque fois qu'est prononcé le mot «guerre», c'est en fait à la «Paix» que l'on s'en réfère. Et cette question là, c'est bien celle de l'arbitraire du signe, par un dépassement et par défaut.

7. Le problème de l'arbitraire du signe, bien qu'il risque de n'être pas résolu de longtemps, demeure la catégorie essentielle des réalités sous-jacentes aux préoccupations humaines. Cette dimension est rarement perçue ou même sentie de nos contemporains. Giraudoux fait exception bien qu'il n'affiche pas la chose en soi aussi ouvertement qu'on le voudrait. D'ailleurs s'il le faisait, ou s'il l'avait fait, il n'aurait pas été suivi : fuyant Giraudoux. Posons pourtant un postulat qu'on cherchera à cerner : il n'y a pas d'arbitraire du signe dès que l'on accepte d'entrer dans la réalité, une réalité qu'il faudra décanter et dont les personnages de Jacques et de Maléna sont des ingrédients périphériques majeurs.

L'anamomètre virtuel de tout le système vécu par les personnages est Baba, la fille d'Amparo, qui surprend tous ceux qui s'intéressent à la réalité ou à la Réalité. Mais Amparo participe elle aussi du mystère, sorte d'intermédiaire zélé ou d'ange incarné avec une toute petite chose en moins que la perfection pure, mais suffisamment de celle-ci pour savoir discerner le mécompte du vrai. Ainsi ce Carlos Pio :

> «Une fausse tête, qui ne pèse pas ce que pèse une vraie... Une tête comme une noix gâtée. Si celui-là avait un frère jumeau, ils ne devaient plus guère sortir ensemble.
> - Qu'est-ce qui arrive donc à Madame, ma brave Amparo? disait Carlos Pio.
> - Elle (Maléna) reçoit tous ses masques.
> Car tous ces visiteurs étaient des masques pour Amparo» (*CA*. p. 130).

Les hommes dissimulés sous leurs masques harcelaient Maléna, signe de malheur qu'il faudrait pourtant exorciser : «Le plus grave est que ce carnaval était un carnaval de malheureux, et Amparo détestait le malheur, non en soi, - les malheureux sont très gentils, - mais parce qu'ils portent malheurs» (*CA*. p. 130).

Le malheur est lié à une inexactitude de la réalité, à ce iota qui fait que la beauté, que la totalité a été changée; le iota pourrait-on dire, de l'arbitraire du signe ·

$$\frac{S}{s} \neq 1.$$

Amparo dans sa guerre contre le mal s'y prend assez maladroitement, par degrés compensateurs, sans viser le mal au cœur : «Elle combattait la maladie comme on combat le feu, par un contre-feu, par un contre-mal» (*CA*. p. 129). Ainsi Madame (Maléna) recevait elle la visite de malheureux pour pallier son déséquilibre. Ce n'était pourtant pas là, en le malheur, que le début d'une solution devait être trouvé. Par contre :

> «Parfois, devant un enfant, un vieillard, devant un des êtres dont l'innocence était totale, Madame avait soudain ce visage tendu, dénaturé, que prenait Angelica quand, face à son père, elle se rappelait le crime de son père» (*CA*. p. 119).

La dichotomie est consommée dès que le presque parfait s'en rapporte au parfait, le partiel au total, Maléna la presque parfaite à ce qui pourrait être son état édénique.

C'est alors que survient Baba et l'éléphant porteur de bonheur qui monte l'escalier de service ou qu'on attache derrière le taxi pour aller au «lac du bois» (*CA*. p. 120) : «Or, depuis une semaine, l'éléphant irritait Madame» (*CA*. p. 120). Signe de malheur : «Bref Madame, qui jusqu'ici voyait et entendait comme Baba, était devenue ce que sont toutes les autres personnes, c'est-à-dire aveugle, sourde» (*CA*. p. 121). Sans doute par innocence voilée, «Madame ne voyait plus l'éléphant ni les oiseaux parce qu'ils n'étaient pas malades» (*CA*. p. 133). Le mal dû à l'engagement est ici pris à sa source et c'est un désengagement qu'Amparo voudrait voir survenir pour Maléna : «l'épopée d'Amparo, nourrice de Maléna, la geste d'Amparo, l'histoire du siège qu'elle soutint, - pour sauver Madame qui voulait trahir sa destinée et passer au malheur -, non seulement contre l'ensemble des maux de l'humanité, mais aussi contre la bonté, la pitié et toute bienfaisance» (*CA*. p. 116). C'est aussi ce que du point de vue de la logique de l'engagement même Carlos Pio cherchera à faire voir à Maléna, sans que lui-même ait conscience du Tétragramme :

> « - Crois-tu en Dieu, Maléna?
> - Ce n'est pas à toi que je le dirai.
> - En effet tu ne me dis plus rien. Tu savais que Lagopède allait gagner à Auteuil, tu l'as joué et tu ne m'as rien dit. Pour en revenir à Dieu, si tu ne crois pas en lui, occupe-toi des pustuleux et des pauvres. Si tu crois en lui, laisse-lui ce soin, il est responsable. Ou alors imite les grands philanthropes; ce sont ceux qui s'occupent le plus du malheur qui l'approchent le moins. Ils ne veulent pas plus le toucher que ceux qui s'occupent du pétrole ne veulent toucher le pétrole. Personne ne sent moins le pétrole que les grands pétroliers. Le malheur, la souffrance, ce sont des castes, des classes... Evidemment tu ne vas pas me dire ce que tu penses du mélange des classes» (*CA*. pp. 131-32).

Le pétrole est là et la séduction et tous les problèmes de l'appropriation, cortège d'incorrections qui sous-entend ce que Pascal Ruga mettra en évidence d'une façon magistrale et en ces termes, quarante ans plus tard : «La sagesse ne peut être qu'Unité, Relation et Amour sans choix, il va sans dire, puisque la première tâche de l'homme est qu'il abandonne sa hantise du profit, qu'il se remette dans le sein de la création comme l'enfant qui vient de naître, - c'est ce que nous appelons : le temps des anges» (*ME* p. 77)[11]. Car c'est bien de cela qu'il s'agit dans cette partie de *Combat avec l'ange*, le profit, l'enfant, la création, la réalité en la nature, loin de l'appropriation. L'appropriation c'est la Faute : appropriation de la réalité pour la Réalité.

---

11. Louis Lavelle, *La Présence Totale*, Aubier. Editions Montaigne, 1934. Les chiffres (*PT*) indiqueront dans cette analyse les pages de cette œuvre auxquelles nous ferons référence.

Ce n'est pas par hasard que Giraudoux fait allusion à un mage pour augmenter sinon la crédibilité de Baba, du moins la «présence» de la Réalité en Baba :

«Cet homme qui voyait tout n'avait naturellement pas vu l'éléphant. Quand de sa trompe l'éléphant avait pris Baba et l'avait posée sur sa tête, il avait seulement remarqué tout haut qu'il était dangereux pour les petites filles de s'asseoir en tailleur sur les commodes. Mais quand le mage tira l'horoscope de Baba, à l'aide de son prénom et de sa date de naissance, Baba s'aperçut qu'il savait lui aussi entrer dans la vrai réalité» (*CA*. pp. 143-44).

Peu importe d'ailleurs que le mage apparaisse lui aussi assoiffé de profit, ce qu'il voit du réel est satisfaisant. L'enfance en Baba est porteuse de l'innoncence de référence qui devient le paramètre de totalité auquel le personnage de Maléna devrait être rapporté. Très épisodiquement l'enfant apparaît sans masque dans la cartologie giralducienne en même temps qu'il est porteur de la vraie réalité, la Réalité et l'Evidence, sans fond : «L'enfant, écrit Pascal Ruga, est un être qui vient à peine de surgir du cosmos informulé dont il est encore tout imprégné; ce qui donne à ses premiers balbutiements une saveur qui nous remue au plus profond de notre prison de vieux crabe adulte» (*TA*. p. 42). Or il vaut la peine de s'attacher à la contemplation de quelques équations :

$$\frac{\text{Nature}}{\text{Enfant}}, \quad \frac{\text{Enfant}}{\text{Adulte}}, \quad \frac{\text{Nature}}{\text{Adulte}}, \quad \frac{\text{Signifié}}{\text{Signifiant}},$$

de le reconsidérer même dans le silence de la réflexion. Soit :

$$(1) \downarrow \frac{\text{Nature}}{\text{Enfant}} = 1, \qquad (2) \frac{\text{Enfant}}{\text{Adulte}} \neq 1, \qquad (3) \frac{\text{Nature}}{\text{Adulte}} \neq 1,$$

$$(4) \frac{\text{Signifié}}{\text{Signifiant}} \neq 1, \text{ (arbitraire du signe)},$$

dans l'éclairage du non arbitraire, soit :

$$\downarrow\frac{\textbf{Signifié}}{\textbf{Signifiant}} = 1, \text{ l'algorithme essentialiste}$$

qui procède ici de l'enfance. Le langage est lié à ce mythe de la Chute, et l'enfant seul, avant les mots, participe de l'âge édénique : «Dans la prime enfance le moi est à peine formulé. L'équilibre entre les choses et le petit enfant est un équilibre naturel. Ce n'est point un équilibre voulu, poursuivi construit; c'est la résultante d'un accord spontané avec les choses, une valeur inaliénable de notre réalité profonde. Cette valeur, nous ne la possédons pas comme un objet, elle nous traverse sans se préoccuper de ce qui, en nous, cherche à se manifester dans l'affirmation d'une entité» (*TA*. pp. 59-60).

Par extension d'âge Giraudoux fait de Baba une conscience privilégiée, sept ans peut-être, âge de raison de la réalité chez qui le rapport $\downarrow\frac{\textbf{Réalité}}{\textbf{réalité}}$ égale encore à un. Baba ne cherche pas à comprendre : elle sait. Tout lui est donné comme par divination, mais chez elle toute pensée est authentique, convention d'auteur qu'il nous faut accepter. Alors que les autres personnages opposent connaissance et création, Baba est non seulement toute intuition, mais elle refuse la dualité... chez Madame, elle lui refuse l'arbitraire du signe, elle lui refuse la souffrance : «La souffrance est née de la dualité. Tant qu'il y a de la souffrance, il y a morcellement, séparation, résistance. Généralement, nous appelons cela vivre» (*TA*. p. 59) !...

Que Maléna ne reconnaisse plus l'éléphant qui n'a jamais pris forme dans la réalité est signe de mort ou de rupture. Le moi de Maléna semble alors l'emporter sur la Réalité, le *soi* sur le *lui,* elle est prête à l'engagement, elle cherche à connaître dans le devenir : «Connaître, ce n'est pas vouloir; c'est être dans la non-identité. Connaître pour devenir est une forme de l'ignorance. Si nous comprenons ceci, nous comprendrons pourquoi l'enfant n'avait pas place dans le jardin d'Eden. Eve n'enfantait pas parce que tout précisément était enfant de Dieu.

Chaque objet participait de cette pureté originelle, l'esprit divin était visible partout, rien n'était séparé. Il n'y avait pas d'attachement au processus d'existence car toute conscience de ce qui participe de l'éternel survole le devenir que conditionne la fixation à l'existence. Adam et Eve avant la faute (prenons garde au piège de cette chronologie !...), étaient vraiment les enfants de Dieu, des anges; émanation du divin, ils représentaient ce qui existe toujours au plus profond de l'âme de la créature» (*TA*. p. 53). Aussi mystérieux cela soit-il, c'est l'a-dualité et le non-exprimé qui est Réalité; il faudra dépasser la condition humaine, en l'occurence, ici, le malheur et c'est une analyse du silence édénique qui aide à retrouver en Baba la pensée de Giraudoux au travers même la «révélation» dessinée par Paul Ruga : «Alors ne nous étonnons pas que la notion de ce qui est laid et de ce qui est beau fût déjà toute chargée du corrosif de la destruction, lorsque l'on nous initia à la révolte «du plus beau des anges». Dans ce mythe, une conscience opérait un choix, et ce choix donnait naissance à l'ignorance. Une partie se séparait du tout pour s'identifier à elle-même, et c'est exactement cela qui permit en une logique implacable qu'Adam et Eve fussent chassés du paradis terrestre. A la formation de cette dualité s'en ajouta une autre : De l'obéissance ou de la non-obéissance à Dieu est née la dualité du bien et du mal» (*TA*. p. 54).

C'est en s'identifiant à sa quête qu'Eve consomme la rupture, que Maléna s'éloigne de la loi, que les mots perdent leur saveur : «En fait, écrit Pascal Ruga, le réel est inexplicable, et nous avons l'intime certitude que nous ne l'atteindrons jamais avec des mots» (*TA*. p. 52). Il faut établir autour de Maléna un ordre des choses qui soit celui d'avant (la Chute) pour réveiller en elle le parfait de la totalité loin du compromis :

> «En fait, il s'agissait simplement de replacer tous les objets du monde à leur ancienne place, et Madame, dans son ancien emploi du temps, de s'arranger pour que le soleil, pour Maléna, se couchât sur l'Arc de Triomphe, que la lune se levât sur le Bois, que les orages éclatassent pendant le thé au Ritz. Maléna ne sut jamais cette conjuration d'Amparo avec le musée Galliéra contre la neige et avec le Westminster contre l'éclipse... Mais tous les moyens sont permis à une petite nourrice galicienne de mener le combat où succomba Vigny» (*CA*. pp. 147-48).

Le mot est «engagement» et bientôt il devient «symbole vide de substance» (*TA*. p. 51). Pascal Ruga éclaire ce qui est peut-être le demi silence de Giraudoux. Ce qui retient les deux hommes, ce n'est pas la circonstance du retour à l'être, mais l'être lui-même, en sa Réalité : «Selon le mythe du paradis perdu, Dieu est le Père des créatures, géniteur d'Adam et d'Eve. Sa création est pure, gratuite, inexplicable à l'homme non adamique pour qui toute création doit obéir à une nécessité. Dieu ne crée pas pour» (*TA*. p. 51)!... .

Maléna ne doit rien changer dans le rapport Maléna / Jacques. Il n'y a pas de nécessité. Etre non adamique, Maléna créerait pour (*da sein* contre *werden*). Au paradis on ne devient pas car il n'y a pas d'espace-temps. On n'est pas non plus au sens de l'uchronie, mais on demeure soi dans la durée qui est permanent devenir. Toujours l'homme confond ces deux dimensions quand il s'en réfère au réel et l'existentialisme n'est en fait qu'une appropriation des valeurs de la durée au niveau du pour-soi, le contraire même de ce qu'il affirme être :

> «La vie est dure pour l'humble esprit familier qui essaye de défendre Madame contre la contagion du monde, le chantage de la nature, et la personne de la mort» (*CA*. p. 151).

La vie est lui aussi un terme ambigu, mais il prend sa toute valeur en la Vie. Celle-ci participe aussi de la *durée*, loin des conceptualisations humaines. Il est vrai que «nous n'allons jamais à l'essentiel, nous préférons nous laisser ficeler par mille détours de notre dialectique; l'acte qui permettrait que celle-ci explose comme un gigantesque final d'apocalypse, nous ne l'accomplissons pas parce que la logique est la plus sûre justification de notre chère entité» (*TA*. p. 57). Le lieu de Maléna est lié à un dédoublement (thèse : Eve *est,* antithèse : Eve existe, synthèse : rédemption). Au stade deuxième, perception, conscience et mémoire de l'être se sont amoindris et Maléna patauge dans son projet. Ce n'est pas à l'image de son désir que peut se créer l'éternel. Celui-ci est par lui-même (en-soi) ou il n'est pas. De son côté Pascal Ruga écrit : «J'eus l'illumination que l'illumination n'existait pas» (*TA*. p. 167). La lumière n'est pas dans la raison humaine, mais à l'extérieur : «Je découvrais que mon désir d'illumination n'était que la projection de ma complexion égotiste» (*TA*. p. 167)...«Sois présent loin de tous soucis ou profits personnels auxquels tu t'identifies, et ta vie ne se perdra plus dans la tragi-comédie de la grande illusion du moi. Tout poursuivant est un obsédé, un malade. La vie authentique ne veut rien, elle ne se laisse enfermer dans aucune définition, aucun mot ne lui convient» (*TA*. p. 170).

Maléna considérée sous cet angle, il n'est pas étonnant que Giraudoux donne à Jacques le seul rôle de relater l'épopée d'Amparo et l'histoire de la jeune héroïne. Il promène le miroir essentiel et ne prend pas parti. A la limite on dirait qu'il n'y a pas de psychologie de Jacques. Il reflète ce qu'il voit en même temps que l'absolu qu'il est peut-être en filigrane parmi les virtualités du livre. En tous cas il est aussi Baba et il n'a pas de désir. Il est donc le Verbe et ceci loin de l'interprétation. Plus sage qu'un Michel Foucault, Pascal Ruga rappelle à la fin de son livre, que, «S'accrocher à une pensée, si juste soit-elle pour nous, c'est déjà se maintenir dans l'erreur. Ce n'est pas le mot qui défend l'intégrité, c'est l'interprétation sous-jacente que nous lui donnons dès que nous mesurons son impuissance. Aussi n'est-ce point au hasard que j'ai écrit : «J'eus l'illumination que l'illumination n'existait pas». Pour un esprit étroit, attaché à la lettre, il y aura dans cette phrase une insupportable contradiction; et pourtant, seul ce paradoxe pouvait exprimer l'esprit de ce que je voulais dire. Le mot illumination est considéré par son affectivité, et d'autre par il s'en dégage» (*TA*. p. 171). La lumière est durée et il suffira que Jacques *aime* vraiment pour que tout rentre dans l'ordre des choses : *Amour;* ainsi faut-il voir ce que Giraudoux pensait quand il écrivit :

> «Dès le début je fus intrigué, en ce qui concernait Maléna, par ce jeu, - je ne puis croire à une erreur, - de Dieu» (*CA*. p. 152).

L'erreur consacrerait l'arbitraire du signe, ce qui est impensable au cycle divin. Que l'être humain appenne à se faire violence et à ramener son désir, non pas au néant, ce qu'il est par définition, mais au degré zéro. Il pourra alors rentrer dans le silence. En effet, «Le désir de s'arrêter à un mot n'est pas autre chose qu'une peur, qu'un besoin de sécurité» (*TA*. p. 40). Le principe de l'arbitraire du signe est entaché par la peur existentielle. Ceci on ne le dira jamais assez.

Le problème ainsi conçu est celui de la guerre, combien important au centre des préoccupations giralduciennes. Comment établir un équilibre et annihiler le principe même de la guerre. Au travers d'un conflit, c'est l'espoir de la paix qui se fait sentir et la paix c'est l'unité. La guerre est donc infiniment souhaitable si elle permet d'apporter la tension nécessaire à l'unité espérée du jour où celle-ci n'est plus. Le dépassement de l'inadéquation est guerre en même temps que paradoxalement source de paix. De plus c'est dans ce cadre que s'excerce la condition humaine, des tensions qui engendrent des changements souhaitables dans un devenir qu'on aimerait espérer. Brossard est de ceux qui sont conscients du phénomène et qui tout en espérant le dépassement soupçonnent la réalité d'une solution dans un autre contexte :

> «Mais il ne pouvait se délivrer de ce mal de la guerre. Il sentait qu'il y avait une occupation autre que la guerre qui pouvait donner à l'humanité les qualités qu'elle ne peut recevoir encore que de la guerre, mais il constatait aussi que le manque d'imagination humain n'avait pas permis encore de le découvrir» (*CA*. p. 43).

La guerre est une subjectivité, un pour-soi donc, à réalité de signifiant. Giraudoux conçoit son dépassement et dans son dépassement le surpassement de l'être humain hors des tensions de ce que Sartre appellera «inter-subjectivité». La subjectivité est à la fois le lieu de la guerre et le centre de gravité de la valorisation des êtres qui en participent. Ainsi en va-t-il des signifiants qui au sein du signe linguistique s'efforcent de tendre vers une signification, conflit d'interprétations jusqu'à ce que la paix du dictionnaire réconcilie les extérieurs. Etymologie aussi : donnée par comparaison et tension des signifiants ou bien venant d'ailleurs d'une chose en soi extérieure. La guerre disparaît d'elle-même et de ses constituantes par exténuation comme un abcès qui perce, alors que les chairs guérissant d'elles-mêmes retrouvent l'équilibre et l'ordre. Or ce que revendique l'esprit de Brossard, c'est que la solution vienne d'ailleurs, d'un au-delà, ou d'un avant de la guerre, d'une imagination quasi essentielle qui, captée comme qui dirait de l'extérieur, viendrait par transcendance compléter l'effort immanent du pour-soi imaginatif, un quelque chose qui obéirait aux lois du schéma :

Imagination essentielle ················ **I** ············· **imagination existentielle**

Il s'agirait alors d'une Imagination qui agirait par révélation :

> «Il en voulait à notre espèce de cette atrophie qui l'empêchait de s'élever au-dessus de l'idée de guerre et de trouver là la limite qui empêche le singe de s'élever au-dessus de l'idée de feu. Il s'entêtait à croire que la guerre n'était pas naturelle à l'humanité, qu'elle s'y était fourvoyée à la suite de quelque collusion honteuse avec un règne floral ou animal, comme cette maladie qui nous vient des lamas, et il y avait en lui l'acharnement d'un homme qui mène une lutte contre une maladie ou contre un dieu qui ne s'est pas spécialisé avec la race des hommes. Désespérant de l'abattre, il insultait ce dieu, il cherchait à l'avalir. Il refusait à la guerre son nom» (*CA*. p. 44).

Si la guerre appartient à la condition de l'homme, elle semble être à contre nature. Que cette notion devienne le lieu de la pensée et celle-ci doit être totale; il doit être possible de neutraliser ce qu'apporte la condition : «un acharnement», hors la solidarité humaine. Voilà ce qu'envisage Giraudoux. Plus tard, Pascal Ruga qui n'a d'ailleurs pas lu Giraudoux, tracera le dessin de «l'irréductible» (*TA*. p. 127).

> «L'irréductible est celui qui ne se réduit pas à ce qu'il est, ou tout au moins à ce qu'il croit être. Ce n'est pas une mesure de sagesse, c'est sa nécessité un accomplissement de la relation au-delà du temps et de l'espace. L'irréductible est un grand voyageur, mais ce n'est pas la lune qui l'intéresse» (*TA*. pp. 127-28).

Il s'agit d'un nom à la forme active en devenir (au niveau de l'espace-temps) et d'un retour à devenir qui est immuable, pas en l'heure, mais en la durée : perception totale, ce point ω dont parlait Teilhard de Chardin[12].

Giraudoux s'en prend à la terminologie, au mot qu'il faut envisager en même temps en l'espace-temps et en la durée. Pour ce faire il fait appel à une deuxième langue, imposant un décalage, un écart culturel :

> «Il l'appelait non pas Guerre, ou War, ou Krieg, mais Li pou pou, du nom que, d'après un voyageur, lui donne une peuplade de Mélanésie. Il employait ce mot au conseil des Ministres, où il était devenu courant, en dépit des objections du ministère de la Guerre lui-même, qui proposait, s'il fallait absolument un surnom à la guerre, de l'appeler Bellone ou Défence Nationale. Le chef d'Etat-Major général, le premier serviteur de Li pou pou, s'était levé, indigné, et était sorti, un jour où Brossard dénonçait en le ridiculisant sous ce surnom tout ce que Li pou pou ourdissait par son hypocrisie et par sa veulerie... Je lui avais caché que dans la même peuplade la paix s'appelait Li pu pu... Mais il sentait bien que ses efforts étaient vains, aussi vains et aussi ridicules que s'il s'attaquait, lui humain, à un dieu des vautours et des fourmis rouges. On n'a de pouvoir que sur ses propres dieux. On ne peut abattre et tuer que ceux-là. Peut-être d'ailleurs son apostolat aurait-il eu plus de chance auprès des vautours et des fourmis rouges» (*CA*. pp. 44-45).

Cette langue sort du courant européen pour que le dépassement soit plus fort encore pour que d'autres dieux soient conjurés, quelques exorcismes, quelques folklores qui transforment la guerre en une espèce de rituel coloré ou liturgie dépourvue de toute agressivité, une sorte de paix, en somme. Quelle ressemblance aussi au jeu du miroir que ce Li pou pou, image virtuelle humaine de l'objet réel premier Li pu pu ! :

Li pu pu................**I**....................**Li pou pou,**

qu'une simple erreur de prononciation semble entacher

Paix....................**I**....................**Guerre,**

---

12. Pascal Ruga, *Mûrir son Eternité*, «Aux sources du Présent», Genève, 1978. Les chiffres (*ME*) indiqueront dans cette analyse les pages de cette œuvre auxquelles nous ferons référence.

soient :

$$\downarrow \frac{\textbf{Li pu pu}}{\textbf{Li pou pou}} = 1, \qquad\qquad \downarrow \frac{\textbf{Paix}}{\textbf{Guerre}} = 1.$$

La guerre allemande, la guerre française figurent comme étant deux virtualités de la Paix commune :

$$\frac{\textbf{Paix}}{\textbf{Guerre allemande - Guerre française}} \neq 1.$$

Seule la paix est semblable en le silence, silence qui s'imposerait par la non-action (espace-temps) en la *durée*. C'est en la durée qu'est le lieu de la Paix alors que celui de la guerre (virtualité) est en l'espace-temps. D'où cette différence fondamentale qu'on ne saurait trop souligner entre signifié et signifiant. Le lieu du signe linguistique est dans la lumière du silence. Soit :

$$\downarrow \frac{\text{S}}{\text{s}} = 1$$

avant que celle-ci s'exprime.

De la même façon apparaît le rapport édénique :

$$\textbf{Dieu} \ldots\ldots\ldots\ldots \textbf{I} \begin{smallmatrix} \blacktriangleright \textbf{Maléna} \\ \blacktriangleright \textbf{Jacques} \end{smallmatrix}$$

ou encore : $\dfrac{\textbf{Dieu}}{\textbf{Jacques - Maléna}}$,

qui marque la guerre du couple ou son inaltérabilité :

$$\downarrow \frac{\textbf{Maléna}}{\textbf{Jacques}} = 1 \text{ (couple)},$$

dans le même sens, selon lequel la paix s'exprimera.

En l'état de guerre, deux virtualités se dessinent, chacune accrochée à son signifiant (symbole ou slogan) et qui chacune vivent un destin existentiel propre, loin de l'unité.

Soient les rapports :

(couple) P............**I**₀--------▶**P'**   **Maléna**
                            ----- -▶**P''**   **Jacques**

(paix) P...............**I**--------▶**P'** **Guerre allemande**
                            ----- -▶**P''** **Guerre française**

L'unité, pourtant, est première. Elle est finale aussi, alors que le pour-soi par force de volition (espace-temps) et scientifiquement par immanence (SDN) pacifie, la logique humaine (le socialisme ardent) structuralisante, le pour-soi subjectif prend les formes d'un en-soi et devient un projet humain de paix possible, et comme qui dirait à la force du poignet. Gagner l'éden sur terre, donc, en ajustant au mieux pour que les deux virtualités n'en fassent plus qu'une !

Brossard a raison pourtant de se demander s'il n'y a pas une autre solution. Mathématiquement ou physiquement parlant le lieu de la paix est en l'objet premier (en P). Il n'est donc pas insensé d'affirmer que le lieu de la guerre est en la Paix et que c'est par mal-perception de l'absolu que naissent des virtualités différentes qui s'approprient chacune les qualités d'un en-soi se faisant en fait la guerre au nom de cet en-soi alors qu'en réalité ce sont deux pour-soi subjectifs qui s'opposent. La haine a son lieu dans l'amour comme la guerre dans la paix, comme aussi l'a-perception ou perception partielle dans la totalité de l'objet à percevoir. Ceci est en essence le grand message du prophète Giraudoux en l'être absolu qu'il n'oublie pas de nommer Dieu.

Dans *Combat avec l'ange,* l'ange est à tour de rôle absurde ou Dieu selon que le lecteur le démarque d'un point de vue existentiel ou essentialiste. De là l'ambiguité systématique d'un ouvrage qui ne peut que dérouter ceux pour qui l'axiomatique existentialisme / essentialisme n'est pas clarifiée. Giraudoux se contente de suggérer, il n'affirme rien et il faut lire entre les lignes ou entre les virtualités pour rétablir à la fois le couple et la paix, c'est-à-dire la paix dans le couple et l'unité dans le concert des nations. La SDN ne peut-être qu'en Dieu grâce à un prophète-Président, Brossard, qui est le «seul support de la paix dans ce bas monde» (*CA*. p. 41).

Soit le schéma :

P..............................**I**..............................P	
Dieu	**Brossard**

La paix   **La guerre**
L'unité   **La désunion**

L'essentialisme   **L'existentialisme**

L'existentialisme apparaît alors comme étant l'antithèse humaine et absurde aux yeux de l'absolu que la totalité universelle (Dieu la thèse) contenait en elle-même du jour où l'absolu (la thèse), l'absurde (l'anti-thèse) aux yeux de l'homme, laissait naître l'imperfection et l'a-perception, ou perception partielle, seule inspirée par un égoïsme tributaire d'une subjectivité dépourvue (ou «liberté» au sens sartrien) d'une vision totale des choses, ou vérité, ou liberté (en-soi). Ce que tente désespérément Giraudoux c'est de commuer (transmutation ésotérique) la synthèse finale en l'absolu, *Paradise lost and Paradise regained;* ce dynamysme passe par la réduction de l'espace-temps par élargissement total en la durée.

L'analyse existentielle apparaît alors indispensable - le mal à l'état pur, *en* la subjectivité de l'homme - à l'établissement du Royaume de Dieu. L'analyse giralducienne est à la fois essentialiste et existentialiste, mais ce qu'il faut voir, c'est que la première qui est silence contient la seconde, que la *durée* prend une dimension nouvelle en l'*espace-temps*, que la thèse contient l'anti-thèse et que le lieu de toute chose est dans le silence préexistant à la poussée des contraires. Point d'Eureka !, mais cet ω, qui symbolise la réduction de l'*espace*-temps à la *durée*[13]. D'un point de vue synchronique l'œuvre giralducienne qui part à n'en pas douter d'une vision miltonienne annonce à la fois le marxisme-léninisme, le fascisme et l'existentialisme, virtualités faussées de l'objet matériel premier, pas le capitalisme pur puisque celui-ci était déjà connu bien que sous une teinte différente il s'agisse du même problème. Le prophète ne se satisfait pas d'une dualité entre des virtualités qui s'affirment contraires, il prévoit leur réduction à l'état premier qui est posé final en la durée, du jour où l'excroissance espace-temps disparaîtra.

Mais ne s'agit-il pas alors de la fin du Monde ?... à décoder, elle-aussi, il s'agit du jour où l'espace-temps sera résolu par perception pure, conscience pure, imagination et mémoire pures, en la *durée*. Albérès a raison de parler de la vision cosmique de Giraudoux, mais ce qu'il n'a pas vu, c'est qu'il s'agit d'une cosmogonie selon laquelle Dieu a besoin des hommes,certes, mais ou plus encore ceux-ci ont besoin de Lui pour que s'affirme la grande révélation finale. Et rien n'est final si tout est éternel dans la durée. Trente ans sont comme un jour nous dit en substance Giraudoux et la mort marque la fin de l'espace-temps qui se résorbe enfin. Ainsi Brossard :

«Aujourd'hui il se sentait de force à convaincre un vautour, une fourmi, par la faim, la caresse, la persuasion. Les hommes, il en doutait maintenant. Lui qui s'était toujours senti, devant la guerre, la tyrannie, comme un jeune dompteur devant de vieux lions, les voyait tout à coup rajeunir et se trouvait

13. A propos d'ω, on lira une très importante partie du *Ph. D.* portant sur l'analyse du *Rouge et le Noir* établie à la lumière du *Phénomène Humain* du Père Teilhard de Chardin, du *Hasard et la nécessité* de Jacques Monod, des *Mots et les Choses* de Michel Foucault et de *Trahison de l'Occident* de Jacques Ellul : il s'agit d'un chapitre intitulé «De l'Eros à l'Agapé», in «Vers une didactique du rêve. De Bergson à Bachelard. Essai de critique essentialiste» pp. 327-388.

voûté et blanchi. En fait, c'est que le lion cette fois était mort, c'est que ce premier jour de langueur, de paresse, était le premier d'une agonie qui allait doucement le conduire jusqu'à l'été. Je savais aussi le mot mélanésien pour Mort; il signifie littéralement : Tigre à ailes. S'il y a des tigres vraiment ailés dans ce pays, leur nom et celui de la Mort sont les mêmes... LeTigre à ailes venait chercher le vieux dompteur» (*CA*. p. 45).

Dans la logique de la prophétie linéaire on voit se dessiner la relation suivante :

P..**I**..**P'**
Dieu   **Prophète**

Le prophète *est* (durée) au milieu des hommes qui existent (espace-temps). Leur relation en P' est celle des hommes en l'autel d'un Isaac et dans sa relation à l'objet réel on devine le buisson ardent.

Le vautour, la fourmi, le lion participent de la durée et c'est l'homme qui les voit en l'espace-temps. Pourtant le lion meurt à l'espace-temps et en cet instant même il continue dans la durée : ainsi le prophète et dans un sens large le prêtre. Voici l'algorithme suivant lequel est régi le Tigre à ailes :

$$\downarrow \frac{\text{Tigre à ailes}}{\text{Mort}} = 1 \text{ (Durée : Dieu).}$$

Soit le schéma :

Dieu...............**I**...............**Brossard** (homme-prophète).

Brossard apparaît comme un grand prêtre en son autel, témoignage vivant de Dieu (durée) en le milieu humain (espace-temps) qui est lui synonyme de discorde ou de désagrégation. La conception catholique traditionnelle de l'époque n'est point différente : Là, le prêtre est en son autel, et c'est avec lui dans son église que les fidèles, et par lui, participent de la divinité :

«Lui-même, si habile à voir la haine de la guerre dans les autres que, s'il allait tout de suite à l'un des visiteurs, on pouvait être sûr qu'il se dirigeait instinctivement vers un passionné de la paix, vers un martyr ou un déserteur, ne voyait plus en eux qu'une foule» (*CA*. p. 46).

Le terme de «passionné de paix» marque une perception plus pure frappant tel ou tel individu. L'épisode de la dame est plus que révélateur, mais il ne faudrait pas se laisser mystifier, «la plus vieille» qui interpelle Brossard :

> « - Alors! Alors! lui dit-il en souriant. Que voulez-vous de moi?
> - La paix! Monsieur le Président! répondit-elle en fondant en larmes» (*CA*. p. 46).

Non, Giraudoux ne joue pas. Cette femme est à la fois le côté pile et le côté face de l'Innommable...en sa virtualité. Arrivée à la fin de ses jours, elle confond l'un avec l'autre ces deux côtés, le pile et le face, la guerre et la paix, sans les confondre en cet instant où guerre et paix ne peuvent être dissociés car ils font un :

> «Elle était toute heureuse de sa réponse. Elle tremblait encore à l'idée qu'elle eût pu répondre autre chose. Par timidité ou par obsession, elle employait toujours le mot contraire à celui qu'il fallait. Oran au lieu d'Alger par exemple. Il n'avait tenu qu'à un fil qu'elle ne répondît : la guerre. Toute sa vie elle se féliciterait de cet à-propos. Peu lui importait qu'elle glissât sur le plancher en regagnant sa place, et déchirât en s'y accrochant la jupe en moire de sa voisine» (*CA*. p. 47).

Il eût pu y avoir la guerre par dissociation de la jupe en moire. Celle-ci n'eut pas lieu. Le point ω de la perception totale en l'unité est atteint. Les deux côtés de la pièce de monnaie sont sensibles en Brossard agonisant : Dieu en lui (la durée) et l'homme (en l'espace-temps) :

> «Ils l'auscultèrent sur le divan. Ils trouvèrent un point douloureux à gauche. Celui qui était sensible au mot guerre sans doute. Celui que la main atteignait et pressait. Il était d'ailleurs sensible aussi au petit poignet, épouvantablement sensible. Puis ils le redressèrent, le prenant aux épaules, et regar-

dèrent ses yeux, longuement, avec un sourire angoissé, comme s'ils l'aimaient. En le reposant ils avaient en effet l'air grave de ceux auxquels une maîtresse a dit non. La vie avait dit non» (*CA*. p. 47).

C'est l'existence (espace-temps) qui pour finir dit non à la durée :

«Le président vit leur visage dans la glace. Cela n'eût pas suffi à l'inquiéter. Mais il y vit aussi le sien, délabré, et couronné d'une espèce d'auréole, car un des visiteurs, dans son désespoir de ne pouvoir parler, avait tracé sur le miroir, au diamant : Sauve-nous! A bas la guerre!» (*CA*. p. 47).

Tout l'art de Giraudoux est résumé ici, la vie et la mort en le miroir, qu'on soit en P. comme Dieu ou en P' comme les «existants» :

« - je dois vous confier, mes amis, que je vous interdis absolument, au cas où mon état serait grave, de m'en dire la moindre chose» (*CA*. p. 47).

et voici le message que reprendra en détail Ionesco dans *Le Roi se meurt* et dont une analyse de *Combat avec l'ange* ne pourra que faciliter la compréhension et vice versa car Ionesco explore le silence giralducien…Mais s'agirait-il du silence métaphysique ?

Aussi les concepts de bonheur, de vie, de guerre et de mort doivent-ils être passés au crible du miroir et de part en part :

«Le Président est en excellent état, me répondit très haut le cadet.
Le Président en effet les congédia cordialement et se mit au travail. Mais comme l'Union pacifique des cheminots lui apportait une gerbe de fleurs dont la forme rappelait les couronnes funéraires, il la fit immédiatement disparaître et porter en son nom à un viel ami qui venait, lui, effectivement de mourir. Puis il me congédia.
- Allez-vous-en, jeune homme. Allez au bonheur. Il disait Bonheur, mais il pensait Vie. Il suffisait de le voir pour comprendre que dans sa pensée, toujours docile et franche envers lui, Li pou pou venait de céder la place à Tigres à ailes» (*CA*. p. 48).

Chaque fois il s'agit de penser à Etre quand on prononce «être», à Réalité quand on nomme «réalité», à Vie quand on dit «vie» et à Paix quand s'exprime Li pu pu ou Tigres à ailes.

Etudier Giraudoux dans le contexte d'une œuvre comme *Combat avec l'ange* c'est découvrir la nécessité d'alterner le cheminement de la pensée entre la dimension verticale de la durée et la dimension horizontale de l'espace-temps, c'est reconsidérer la nécessité de garder présentes à l'esprit les deux dimensions dans leur relation politico-métaphysique. Ce livre résiste à l'analyse tant que le lieu de l'analyse est l'espace-temps en sa synchronie.

La problématique du couple est intimément liée dans l'esprit de Giraudoux à la relation guerre et paix qui elle est au centre des préoccupations politiques d'un Giraudoux diplomate qui œuvre pour le bien de la paix au travers de la littérature autant que par ses activités professionnelles et culturelles. Il est besoin de noter son constant désir d'approfondissement de la perception humaine qui est lié à une conscience accrue du monde sensible autant que de celui qui l'est moins. D'où cette intensité que nous pensons qu'entre la dimension existentielle et de surface qui a pu influencer Sartre, les moyens que nous donnons à cette analyse permettent de mettre à nu les rouages de l'incidence giralducienne. Les données philosophiques nous ont été apportées par Louis Lavelle, la linguistique révélée par Pascal Ruga et la mystique théologique par G.G. Scholem. Alors qu'une analyse du type positiviste entraînerait à rassembler les seuls faits, l'essentialisme sous-jacent à notre méthode conduit à une étude par analogie dont la justification vient du fait que dans la durée il se pourrait fort bien que tout soit dans tout et réciproquement, totalité d'Etre dira Lavelle, Rien écrira Ruga, la Schekina s'écriera Scholem, le feu suggérera Grad, le cosmos répondra Heindel. Albérès à étudié ce cheminement «entre Maléna et l'Univers»[14] et il nous semble à nous qui rejetons le principe de l'arbitraire du signe que la fonction politique qu'on pourrait attribuer à la pensée giralducienne trouve son fondement et son lieu dans ce qui est peut-être l'âme.

Dans tous les cas *Combat avec l'ange* est une synthèse qui se fait en Dieu et la pensée de Giraudoux est; à l'époque où il écrit son

---

14. *Esthétique et Morale chez Jean Giraudoux*, Nizet, 1967, p. 445.

livre, absolument tributaire d'un courant analogue à celui qui semble animer la Colonne du milieu cher aux kabbalistes. En une période historique qui s'engage résolument vers la «Modernité», Giraudoux fait le point avec le passé, avec le principe axiomatique à la dualité et affirme, peut-être en toute sagesse, la finalité d'un Tétragramme en l'acharnement que seul un poète peut mettre à l'affirmation de la Réalité.

Non pas fuyant Giraudoux, mais dogmatique comme le roseau de son ami Jean de La Fontaine.

Genève,
le 18 juin 1981.

CONCLUSION

Esthétique et Morale chez Jean Giraudoux titrait l'ouvrage d'Albérès. Nous concluons à la nécessité que le signifié signifie, c'est une façon plus moderne de poser le problème, que l'*anima* précède et englobe l'*animus*. Cette androgynie est de nature poétique. Elle marque un besoin d'unité. De toutes les révolutions connues, celle entreprise par Giraudoux consiste à réunir les extrêmes. Il s'agit d'indivision par amour, c'est-à-dire de totalité ou d'absolu et il ne faut pas s'y tromper, la prétendue négation du tout ne mène qu'à substituer une partie à une autre. Giraudoux est bergsonien. Si la tentation du monde «absurde» menace parfois ses personnages son choix ultime est autre. Dans la pratique une seule option est possible, *être,* tout en répondant au besoin métaphysique de l'humanité.

Le recours aux mythes, sans doute l'une des plus utiles découvertes du XXe Siècle, permet de valoriser ces aspects plutôt obscurs qui souvent foisonnent dans les textes de Giraudoux et qui pourraient conduire nos contemporains à souscrire à un langage plus rationnel ou moins imagé. Il est vrai qu'à force de fixer l'esprit des Lumières, nous avons fait fi de tous ces rêves propres à l'humanité et qui lui donnaient de participer plus profondément de la révélation cosmique. C'est très vraisemblablement celle-ci qui importe et qu'il faut chercher à saisir, comme des images de rêve qu'il faudrait interpréter, apprendre l'initiation pour devenir médium. Le problème invoqué demeure celui de la transparence et de la résorption du principe de l'arbitraire du signe. Ainsi le veut le symbole *un.* Le reste est paradoxalement de la littérature.

Giraudoux aime les masques, comme Marivaux, il trouve en leurs jeux le moyen de dénicher l'être, de le replacer en la durée, chaque fois

162

qu'il est à la fois neutralisé et absorbé dans l'espace après avoir été privé de sa substance. C'est bien l'unidimensionnel que Giraudoux cherche à traquer hors l'homme, hors la chaîne signifiante. Gare à l'encroûtement qui pourrait résulter d'une trop vive participation au réel ! La dialectique est un piège. Nombreux parmi nos contemporains sont ceux qui s'y laissent engluer loin de la transcendance, ultime recours et unique objectif. C'est le concept de *conscience pure* qui permet le dépassement entravé qu'il était par les enseignements de Lucien Goldmann et de quelques autres et qui poussait à diviser les progrès de l'humanité à se limiter au complexe de *conscience réelle* s'en rapportant à une *conscience possible.* Dans un certain sens, Giraudoux c'est déjà Teilhard de Chardin, c'est l'ouverture finale de tout pour-soi sur un en-soi qui le domine et qui l'englobe. Et qu'importe s'il s'agit de poésie, pourvu que le point *oméga* soit atteint!

L'homme doit dépasser la notion de temps pour réaliser son destin, vaincre sa subjectivité pour poindre en la *perception pure,* celle-ci est éternité de l'instant dégagé de toute contrainte et de toute souillure. Celles-ci sont à tous les degrés le formalisme que nous ne connaissons que trop. Giraudoux n'accepte que la seule normalisation qui trouve son lieu en la substance. Bien nous a pris d'élargir l'analyse rationnelle aux éléments kabbalistiques dont l'emploi permet de présager une moisson de nouvelles interrogations toutes plus riches de promesses les unes que les autres. Et si même Scholem est décédé très récemment, son œuvre demeure. Professeur à l'Université de Jérusalem il a fait ce travail considérable qui consistait à rendre crédible une tradition qu'on avait par trop tendance à négliger. Faisant appel à son travail et à des ouvrages semblables, il nous semble ouvrir des fenêtres nouvelles à l'analyse littéraire et à la critique.

L'époque n'est plus où *Judith* devait nécessairement vivre vouée à l'échec, le terme de *Schekina*[1] peut sans crainte dépasser les seuls

---

1. Charles P. Marie, «Jean Giraudoux et le duo d'unité poétique», in *Le Cerf-volant* N° 115. 2ᵉ Trimestre 1982.

cercles de rabbins. La préoccupation majeure de Giraudoux en matière de femmes est bien la rédemption de la fille unique. Tous les autres états de la femme manquée ne sont que des stades intermédiaires et qu'on aurait tort de continuer d'attribuer à l'aberration misogyne de Giraudoux. Le problème n'est pas à proprement parler sexuel; il est purement et simplement métaphysique. Qu'on est donc loin de la vision Freudienne et de toute une Modernité engoncée dans les slogans de la matérialité !

Tout Giraudoux n'est en fait qu'un appel à la totalité ainsi qu'à sa reconnaissance. C'est à la fois un parti pris et une nécessité. Déjà Baudelaire proposait que la critique soit «partiale, passionnée, politique, c'est-à-dire faite à un point de vue qui ouvre le plus d'horizons»[2] Il semble que Giraudoux d'un côté, et notre méthode, de l'autre[3] aient permis ici de faire à la fois plus ample connaissance avec Giraudoux en même temps qu'avec le fonds humain qui toujours demeure son intérêt primordial. De ce point de vue Jean Giraudoux ressemblerait plus à Stendhal qu'à Balzac. A toutes fins utiles, il est bon de savoir que son approche procède d'un individualisme à la fois quasi intuitif et naïf en même temps que d'une grande connaissance livresque à moins que tout ceci lui ait été donné, à lui aussi, comme par révélation.

Qui dira jamais les mystères du poète?...

---

2. Salon de 1848 : A quoi bon la critique?.
3. Trois articles importants pour la théorie essentialiste : *a.* «From *anima* to *animus* - An essay in Chronological Semiology», in *M.A.L.S.* (Midland Association for Linguistic Studies), Birgmingham University, G.B. 1980. *b.* «Rimbaud désintégré ou l'Evidence au pays du Neverland» (une analyse de *La Folie d'Abraham* de Pierre Souyris), in *Fer de Lance* N° 113-114 et 115/116, 1981. *c.* «Dans l'Ombre de l'arbre aux fées» (Anouilh et Montherlant) in *Revue d'Histoire du Théâtre* 1982/83